蓮花の契り

出世花

高田 郁

時代小説文庫

角川春樹事務所

目次

ふたり静　9
青葉風　79
夢の浮橋　151
蓮花の契り　223
『蓮花の契り　出世花』あとがき　298

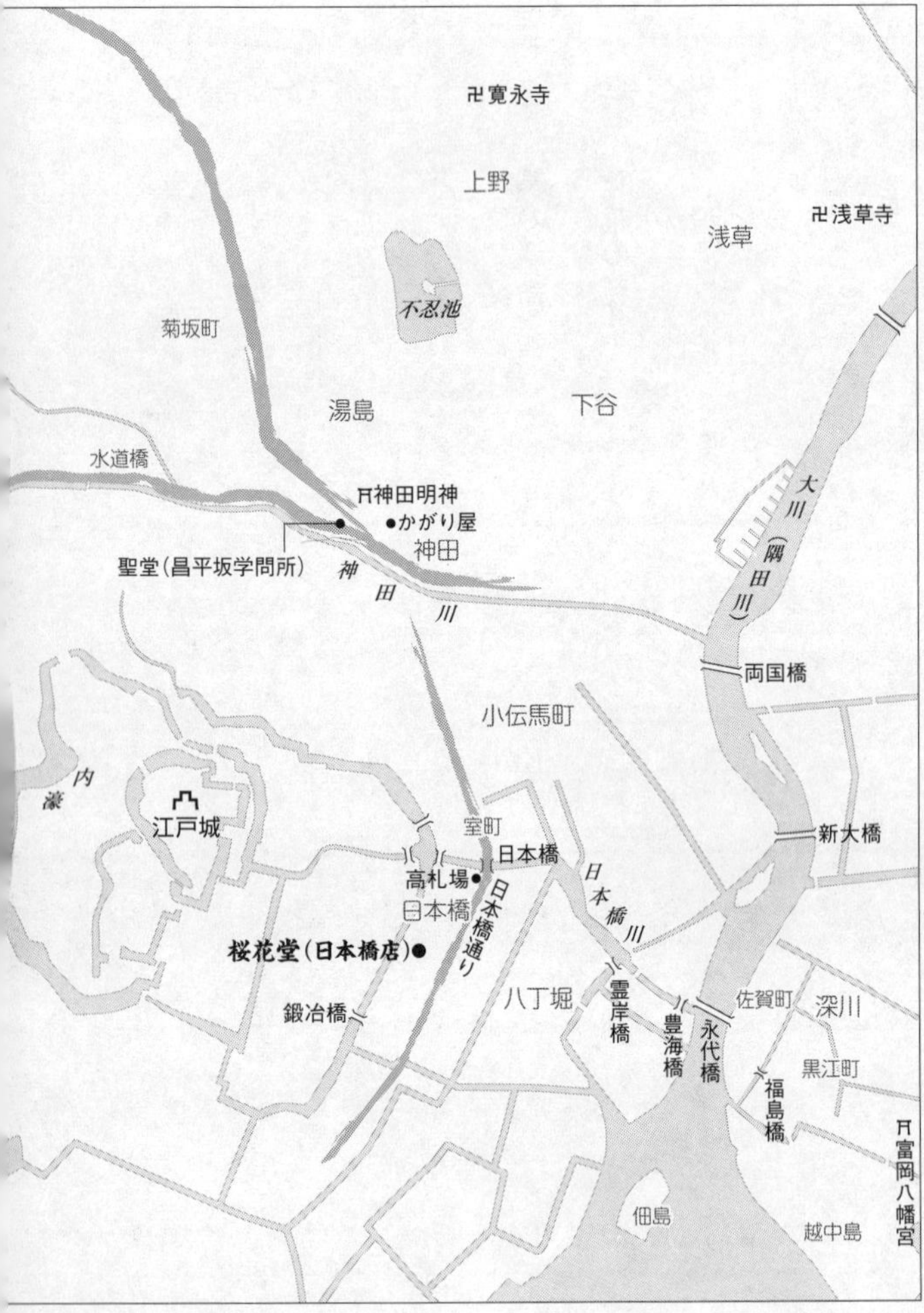
卍寛永寺
上野
卍浅草寺
浅草
不忍池
菊坂町
湯島
下谷
水道橋
神田明神
かがり屋
神田
聖堂（昌平坂学問所）
神田川
大川（隅田川）
両国橋
小伝馬町
内濠
江戸城
室町
日本橋
高札場
日本橋
日本橋通り
日本橋川
新大橋
桜花堂（日本橋店）
八丁堀
霊岸橋
豊海橋
永代橋
佐賀町
深川
鍛冶橋
黒江町
福島橋
富岡八幡宮
佃島
越中島

本書舞台地図
見送り坂
青泉寺卍
下落合村
七曲坂
薬王院卍
御留山
妙正寺川
氷川社⛩
但馬橋
上落合村
戸塚村
神田上水
諏訪村
江戸川
西大久保村
神楽坂
御箪笥町
牛込御門
青梅道
市ヶ谷
⛩三光院稲荷
市ヶ谷御門
追分
太宗寺
卍
桜花堂
塩町
内藤新宿
外濠
⛩十二社権現
甲州街道
卍天龍寺
四谷大木戸
卍笹寺
忍町
四谷御門
麴町
玉川上水
千駄ヶ谷
渋谷川
北
地図・河合理佳

『蓮花の契り　出世花』主な登場人物

縁《えん》　　　幼名の「艶」から「縁」と名を変え、青泉寺で育てられる。三昧聖となって以降「正縁」を名乗る。亡父は久居藩下級武士だった矢萩源九郎。失踪した母は登勢。

正真《しょうしん》　　下落合にある墓寺、青泉寺の住職。縁や正念をよく導く、高潔な人格者。

正念《しょうねん》　　青泉寺の副住職。某藩主の嗣子の座を厭い、出家に及んだ過去を持つ。

市次《いちじ》　　仁平、三太とともに青泉寺に仕える、「毛坊主」と呼ばれる寺男。最年長。

新藤松乃輔《しんどうまつのすけ》　定廻り同心。検死の場における縁の観察眼を高く評価している。

窪田主水《くぼたもんど》　臨時廻り同心。息抜きのために青泉寺を訪れるお調子者。

香《こう》　　　内藤新宿の菓子商「桜花堂」前店主、佐平の後添い。現店主、仙太郎の継母。

蓮花の契り

出世花

ふたり静

数日来降り続けていた雨は昨夜のうちに去り、朝陽《あさひ》が東天の低い位置に顔を覗《のぞ》かせる。菫色《すみれいろ》から薄紅へと変わりゆく空には、明けの明星が名残り惜しそうに消え去ろうとしていた。安寧な情景の中を、お縁《えん》はひとり、但馬橋《たじま》を渡っていく。

但馬橋はそう長くはない土橋だが、強い雨が橋の表面を覆っていた土を洗い流し、ささくれた杉皮や無骨な丸太が露《あらわ》になって、歩くのに少々難儀をする。眼下、水かさを増した神田上水は、轟々《ごうごう》と勢いよく渦を巻いて流れていた。足を取られぬように、とお縁は慎重に歩みを進めた。

少し肌寒いが、風はない。

湯灌《ゆかん》を頼まれた四谷塩町《よつやしおちょう》の寺まで距離はあるものの、約束の刻限までに充分余裕がある。ふと足を止めて、お縁は川の上流へと視線を廻《めぐ》らす。甲羅干しをする大亀に似た「一枚岩」と呼ばれる巨石も、今は流れに沈んでその姿を見つけることはできなかった。

「三昧聖《さんまいひじり》」

橋を渡り終えようとしたお縁に、声をかける者があった。

「お前さまはもしや、青泉寺《せいせんじ》の三昧聖では……」

但馬橋の袂《たもと》に佇《たたず》んでいるのは、筵《むしろ》に包《くる》んだ菊花を抱えた花売りの老女だった。その皺《しわ》だらけの顔に見覚えがあるのだが、上手《うま》く思い出せない。戸惑うお縁に、老女は筵を傍らに置いて、歩み寄った。

「半年ほど前に、お前さまに倅《せがれ》を清めて頂きました」

三月の大火で命からがら逃げたはずが、その時の怪我《けが》がもとで亡くなった、というのを聞いて、お縁は深く頷《うなず》いた。

落ちてきた瓦で頭を打ち、苦しんで亡くなった四十代の新仏《にいぼとけ》を思い出した。よほどの痛みだったのだろう、陥没した頭を抱え込むようにして息絶えていた。亡骸《なきがら》に縋《すが》って泣いていたのは、おそらくこの老女だったのだ。

その節は、とお悔やみを口にするお縁に、老女は諦《あきら》めたように首を振ってみせた。

今年、文化三年（一八〇六年）弥生《やよい》四日、芝車町《しばくるまちょう》泉岳寺前から出た火が烈風に煽《あお》られ、日本橋、神田、浅草までをも舐《な》めつくす大火となった。焼失した町数は五百三十余り、死者は千二百人を超える、といわれる。明暦の大火、目黒行人坂《ぎょうにんざか》の大火に次ぐ大火災で、内藤新宿はもとより、青泉寺のある下落合《しもおちあい》の辺りまで罹災者が溢《あふ》れた。

ひとも物も焼き尽くしたあとは、臭《にお》いだけが長く残る。江戸市中からは大分と離れた下落合でも、ふた月ほどの間は、風向きの加減で焦げ臭さが鼻を突いた。今も話題にするだけで、その臭いが蘇《よみがえ》るようだった。

「何せあれほどの火事でしたからねぇ、誰しもが縁者のひとりやふたり、亡くしてますよ」

三昧聖とてそうでしょう、と老女に問われ、お縁は曖昧《あいまい》に視線を落とす。そんなお縁の様子を気に留めるでもなく、老女は身を屈《かが》めると、筵の端を捲《まく》った。

「重陽《ちょうよう》は過ぎましたが、三昧聖にこれを」

中から一束の菊花を抜いて、老女はお縁に差し出した。切り花にしたばかりなのだろう、朝露に濡《ぬ》れた菊花は辺りの澱《よど》みを払って、爽《さわ》やかな香りを放つ。

お縁は風呂敷を小脇に抱え直して、両の手で菊花を受け取った。

「ありがとうございます。これから伺うお寺に供花《くげ》させて頂きます」

一礼するお縁に、老女は小さく呟《つぶや》いた。

「白麻の着物に縄帯姿で湯灌場に立たれた時のお前さまは、まこと、薄闇《うすやみ》に咲くひとり静《しずか》の花のようでした。叶《かな》うなら、三昧聖にはひとり静を差し上げたかった」

御免なさいまし、との言葉を残して、老女は去った。その後ろ姿を暫《しば》く見送って、お縁は老女が喩《たと》えた花を思い起こした。

ひとり静は初夏、樹木が林立する薄暗い中に見つけることができる。青泉寺の裏の竹林にも群生するため、お縁には馴染《なじ》み深い花だった。濃い緑の四枚の葉から一本の茎が伸び、白い火花を散らしたような不思議で可憐《かれん》な花をつける。その様子が静御前の舞い姿に似ていることから名づけられた、と聞く。菊でも牡丹《ぼたん》でもない、慎ましやかなひとり静に喩えられたことがお縁の胸に残った。

十五の頃からずっと亡骸を、否、仏を清めて早や七年になる。

己にどれほどのことができているのかはわからないのだが、お縁の心にあるのは、常に亡き父、矢萩源九郎《やはぎげんくろう》の最期の姿であった。

不義密通を働いて逃げた妻とその相手を討つ、その一心で諸国を彷徨《さまよ》い、この地で果てた。無念ばかりの生涯だったはずが、湯灌を終え、剃髪《ていはつ》された父の顔はとても安らいでみえた。現世への未練を断ち切り、浄土へと旅立っていった父の姿が、その後のお縁の生き方を決めたと言って良い。あの時の、父の亡骸を洗う正念《しょうねん》の揺るぎのない手を忘れたことはない。

お縁はすっと右の手を伸ばし、掌《てのひら》を開いてみた。それはまだ、とても心もとない手でしかなかった。この手で今日も新仏を清めさせて頂くのだ。心して、心を込めて、とただそれだけを念じて、お縁は開いた手をきゅっと拳《こぶし》に握った。

内藤新宿下町を過ぎ、四谷大木戸を抜ければ、土の道は石畳へと変わる。そのまま雨の痕跡の残らぬ道を歩いて、塩町三丁目を過ぎようとした時だ。

脇の笹寺《ささでら》の方角から、ひとりの女が現れて、お縁の目の前を足早に横切った。髷《まげ》を小さめに結い上げた髪に、渋い落栗色《おちぐりいろ》の綿入れ。些《いささ》か年寄り臭い形《なり》だが、横顔は存外若い。それを認めて、お縁は、あっ、と低く声を洩《も》らす。その横顔に、大切な友の面影が重なった。この半年の間、ずっとその消息を探し続けていた大切な友の面影が。

もしや、という思いと、まさか、という思い。躊躇《ためら》ううちに女は龍昌寺横丁へと入ってしまう。見失っては、との焦りが漸《よう》くお縁に腹を決めさせた。

「待って、待ってください」

必死で呼びながら追い駆けたものの、その姿はすでに横丁から消えてしまっていた。


「何だって?」

庫裏《くり》の板敷で擂《す》り鉢を使っていた三太《さんた》が、擂粉木《すりこぎ》を止めて驚きの表情を向けた。

日暮れには少し間があり、青泉寺の庫裏はまだ充分に明るい。

竈《かまど》に置かれた鉄鍋からは温かな湯気が立ち、大根と粗く刻んだ油揚げとが濃い出汁《だし》でじっくりと煮込まれている。お縁が四谷塩町から戻った時には、すでに夕餉《ゆうげ》の仕度は三太の手でほぼ整いつつあった。青泉寺には三太を含め三人の毛坊主《けぼうず》が居るが、市次《いちじ》と仁平《にへい》は住職らと出かけて、まだ帰っていない。

「てまり、って、あのてまりか？　大火から半年、正縁《しょうえん》がずっと気にかけていた、かがり屋の抱え女郎の……」

三太に問われ、お縁は膳《ぜん》を用意する手を止めて、ええ、と頷いてみせた。

正縁、というのは三昧聖のお縁に、青泉寺の住職、正真《しょうしん》が授けた名である。これまで正縁として様々な事情を背負った新仏を洗い清めてきたが、とりわけ胸に残っているのは、お縁が十八歳の時に出会った、おみのという遊女だった。

神田にあった「かがり屋」の通い遊女おみのは、気立ての優しい女であったが、やるせない事情でひとをひとり、殺《あや》めていた。ひと殺しの事実を誰にも洩らさず、じっと死を待つおみのの望みは唯ひとつ、三昧聖の湯灌を受けて、心穏やかにお浄土に旅立つことだった。そんなおみのの望みを叶えるべく、青泉寺まで足を運んでお縁に同行を願ったのが、同じく遊女仲間のてまりだったのだ。

「確か四年前だ。『三昧聖の手にかかると、苦界《くがい》に身を沈めた女でも、綺麗に輝くようになって旅立っていく』──巷《ちまた》の遊女の間じゃあ信じられているから、と。てまりって女はそう言って、自分が持ってるたったひとつのお宝の鼈甲《べっこう》の櫛《くし》を差し出したんだったな」

その時のことを思い出したのか、三太は擂粉木を放して小さく洟《はな》を啜《すす》った。

ええ、そうでした、とお縁は掠《かす》れた声で応《こた》える。

おみのを想《おも》うてまりの心延《ば》えに打たれて依頼を受け、お縁はおみのの家で幾日か寝泊まりし、最期を看取《みと》った。そしておみのの望み通りに自らの手で湯灌をし、茶毘《だび》に付されるのを見守り、てまりとともにその遺骨を拾い上げた。お縁とてまりとは同い齢《どし》ということもあり、一連の経緯を通じて、互いをとても近しく思っていたのだ。

「三月の大火であの辺りも皆、焼けちまったからなあ。正縁だって見ただろう？　とても生き残れたもんじゃねぇよ」

三太は上目遣いにお縁を見、声を落とす。

鎮火した翌々日、三太とともに神田や日本橋周辺を歩き回ったお縁だった。焼け跡の灰はまだ熱を持ち、下駄の底を焦がす。日本橋はほぼ全焼だったが、神田は焼け残っている、と聞き、望みを繋《つな》いでかがり屋を目指した。しかし、狙《ねら》ったように岡場所《おかばしょ》一帯は焼失していた。その後も折りに触れて足を運び、かがり屋のことを尋ねて回ったが、女将《おかみ》を始め誰の消息も摑《つか》めなかった。おまけに、今では、かがり屋のあとにはすでに新しい店の普請が始まっている。

なあ、正縁、と三太は言いにくそうに口を開いた。

「他人の空似ってんじゃねぇのか？　正縁があんまり、その、てまりに生きててほしい、と思ってるもんだから」

「そうかも知れません」

お縁は力なく答え、代わります、と三太から擂粉木を取り上げた。煎《い》った黒胡麻《くろごま》は丁寧に擂られることで、芳《こう》ばしく香った。

てまりとは、おみの弔いのあと会うことはなかった。しかし、ひとに対する想いの深さは、会う回数やともに過ごす歳月の長さのみでは測りきれない。苦界にあっても他人の幸せを心から願い、そのためにただひとつのお宝まで手放すことに躊躇いのなかったひと。その心根の美しさに、お縁はひととして魅了されたのだ。お縁にとってのてまりは、青泉寺で暮らすようになって初めて得た大切な友に違いなかった。

てまりが源氏名なのか本当の名前なのか、知らないままだが、その名に相応《ふさわ》しい愛らしさで、笑えば右頬《みぎほお》に小さな笑窪《えくぼ》ができる。今朝、ちらりと見かけただけで笑窪までは確かめられなかったけれど、お縁にはその面影が忘れられない。諦めきれず、湯灌を終えての帰り道、再度、龍昌寺横丁を行きつ戻りつしてその姿を探したものの、再びまみえることはなかったのだ。

「まあ、正縁の気持ちはわかるぜ」

揺り上がった胡麻を器に移すのを手伝いながら、三太は悲しみの宿る声で続ける。

「俺たちはこういう場所で生きてるから、毎日、色んな形でひとの死と向かい合う。だからって死に慣れることは無ぇよな。ことに生前に関《かか》わったことのある誰かの死ってのは思いのほか応えるもんだ」

岩吉《いわきち》さんのことだ。

三太の言葉の陰に、龕師《がんし》の岩吉の死が潜んでいることに気付き、お縁は息を詰めた。疱瘡《ほうそう》の痘痕《あばた》が顔中を覆い、六尺（約百八十センチ）を超える身体に早桶《はやおけ》を背負う姿が丁度、神田上水の一枚岩に似ていることから、「一枚岩」と陰口を叩《たた》かれる男だった。しかし、青泉寺の誰もがその誠実な人柄を知り、信頼を寄せていた。冤罪《えんざい》の末に拷問が原因で岩吉が亡くなった時の皆の悲嘆を、お縁は忘れない。

「ひとは何時《いつ》か必ず死ぬ。早《はえ》ぇか遅ぇか、その違いだけだからな」

哀《かな》しげに洩らしたきり、三太は黙った。

沈黙の隙間《すきま》に、玉砂利を踏む音が届いた。お縁と三太は救いを得たように互いに眼《め》を合わせ、競って板敷を下りる。開け放った引き戸から庭を覗けば、寺門からこちらへ向かってくる四人を認めた。青泉寺住職の正真、副住職の正念、それに毛坊主の市次と仁平だった。

正念が目ざとくふたりを見つけて、目もとを和らげる。

お帰りなさいませ、とかけるお縁の声が、黄昏《たそがれ》の情景に柔らかく溶け込んだ。

一日の務めを終えて休む前に、お縁は決まって本堂に向かう。ただし、深夜に正真や正念が本堂に籠《こも》ることも多いので、祈りを妨げぬよう、中には入らず、渡り廊下の端で静かに手を合わせるのを習いとしていた。

弓張りの月はすでに西の空に沈み、無数の星々が地上を秘めやかに照らす。お縁は数珠を手に、今日の安寧を感謝した。祈りを終えて数珠を外そうとした途端、何かの拍子で糸が切れ、繋がれていた珠《たま》が散り飛んだ。こんこん、と軽い音を立てて、漆黒の木槵子《もくげんじ》の珠は四方へ散らばり、お縁に狼狽《うろた》えて這《は》い蹲《つくば》る間も与えずに、闇の中へ消えてしまう。

「誰だ」

本堂の中から声がして、襖《ふすま》が開いた。正念が灯明《とうみよう》皿を手に、こちらを覗いている。

「正縁か。どうかし……」

言いかけて、正念は足もとへ目を向けた。

灯明皿を下げて見れば、木槵子の珠が幾つか転がっている。ひとつを取り上げて、まじまじと見入り、事情を察したらしく、ああ、と声を洩らした。

身を屈めてふたつ、みっつを拾い上げて、お縁に差し出す。

「この暗さでは、散らばった珠を全部見つけるのは無理だ。明日の朝一番に、一緒に探すとしよう」

「はい」

お縁は応えて、それでもまだ諦めきれずに、板張りを手で撫《な》で続けた。

切れた数珠は「正縁」の名とともに師の正真より授かったもので、湯灌場では濡れないよう常に懐に入れている。大切に用いていただけに、ひとつの珠でも紛失するのは忍びない。

数珠糸が切れたことにお縁が不安を抱いていると思ったのか、正念はその傍らに腰を落として、優しく告げた。

「数珠の糸が切れるのは、決して悪いことではないのだよ、正縁。『悪縁を切る』に通じるので、むしろ歓迎すべきことだ。自分で直すのは難しいから、明日、仏具屋へ持っていくと良い」

正真や正念は役務柄、数珠の糸が伸びる頻度はお縁の比ではない。糸が切れて珠が飛び散る前に直しに出すのだが、ふたりとも、修理を任せるのは内藤新宿にある仏具屋に決めていた。幾度か使いを頼まれたこともあり、お縁もその店の主とは顔馴染みだった。お縁は、はい、と頷いて漸く板張りから手を離した。

青泉寺から内藤新宿まで一里（約四キロメートル）足らず、お縁の足で半刻《はんとき》（約一時間）ほどである。諏訪《すわ》村、西大久保村で目にした畑の広がる長閑《のどか》な光景は、追分に至って一変する。馬を引き、あるいは重い荷を背負った者が気忙《きぜわ》しく行き交い、甲州街道第一の宿場町の名に相応しく活気に満ちていた。

西は追分から東は四谷大木戸までを三つに分け、それぞれを内藤新宿上町《かみまち》、中町《なかまち》、下町と呼ぶが、青泉寺と付き合いのある仏具屋は中町に店を構える。朝一番に市次たちにも手伝ってもらって拾い集めた珠を懐にその店の前に立ったお縁だが、暖簾《のれん》は未《いま》だ終《しま》われたままだった。

「相済みません、何せこの有様でして」

お縁を迎えた店主は、裂いた布をぐるぐるに巻き付けた腕を見せて、平謝りしてみせる。

昨夜、段梯子《だんばしご》を踏み外して利き腕の骨を折ったのだという。当分は休むほかない、と聞かされて途方に暮れるお縁に、店主は申し訳なさそうにこう提案した。

「四谷に大層腕の良い数珠師がおります。そちらを紹介させて頂きますよ」

ここからならば、四谷はさほど遠くない。与一郎という数珠師の名と、町名とを教わって、お縁は礼を言って店を出た。

馬糞《まぐそ》の臭いの内藤新宿、と揶揄《やゆ》されることの多い街ではあるが、中町から下町へと移るに従って、五間半（約十メートル）ほどの幅広の目抜き通りに面した表店《おもてだな》の構えは重厚になる。暖簾の染めも艶《あで》やかで、贅《ぜい》を尽くしたものが多い。

その中に一軒、頻繁にひとの出入りのある菓子店があった。桜最中《さくらもなか》で名を馳《は》せた桜《おう》花堂《かどう》である。店の前を通る時、お縁はいつも小走りになった。少し離れたところで振り返るのも常のことだ。

桜花堂の日本橋の店が半年前の大火で焼失し、若旦那《わかだんな》一家がこちらの店に身を寄せている、と聞く。その後もどうか恙《つつが》なきように、とお縁は胸の内で祈った。

実は、桜花堂とは浅からぬ縁がある。お縁が少女だった頃に、養女に、と望んでくれたのが桜花堂の主《あるじ》夫婦、佐平《さへい》とお香《こう》であった。のちに佐平が強盗に惨殺《ざんさつ》され、お香の正体がお縁の実母、登勢《とせ》と知れたのは因縁と言えよう。

——子を愛《いと》しいと思う気持ちを育《はぐく》むこともできず

そんなお香の告白を聞いた時、お縁は齢《よわい》十六。それから今日まで弔いの場で、様々な女の人生に触れてきた。夫を捨て、子を捨て、女として生きることを選んだお香を責める気持ちはすでにない。母親から望まれなかった子、という事実は深い悲しみとして今も胸の底に沈んだままだが、それでもお香の幸せを願う気持ちに嘘《うそ》はない。祈りを込め、雑踏に紛れて桜花堂に一礼するお縁に、誰も気付く者はいなかった。

四谷大木戸を抜けて、先日も辿《たど》った道を歩く。近くに尼寺があるのだろう、この辺りではよく尼僧を目にする。僧籍の有無の違いはあれども、尼僧も三昧聖も同じく仏道を行く身。擦れ違う時に互いに敬意の目礼を交わし、お縁は仏具屋から教えられた塩町二丁目の裏店《うらだな》へと足を向けた。

笹寺に通じる路地裏に、粗末な店があった。一室の表に、「数珠師　与一郎《よいちろう》」と墨書されている。古い建具は丁寧に雑巾《ぞうきん》がけされていて、障子の破れ目も花形に切りぬいた紙で綺麗に補修されていた。仄《ほの》かに香の匂《にお》いが留《とど》まっている。白檀《びゃくだん》の芳しい香は、誰か大切なひとを偲《しの》んで焚《た》かれているようだった。

名前をもう一度確かめて、お縁は懐から袱紗《ふくさ》を取り出した。中に千切れた数珠が入っている。それを手に、障子越しに声をかけた。

「ごめんくださいませ、数珠の修理をお願いに上がりました」

はい、と応える声がして、建てつけの悪い障子がぎしぎしと軋《きし》む。僅《わず》かにできた隙間に、女の細い腕が内側から差し込まれた。落栗色の着物の袖《そで》が覗く。その渋い色に見覚えがあった。

がたっと音がして、障子の切り込みが上手く溝にはまったらしい。がらら、と勢いよく引き戸が開いた。白檀の香の薫《かお》りが、先ほどよりも強くなった。

「お待たせして済みません」

黒い睫毛《まつげ》に彩られた円《つぶ》らな瞳《ひとみ》、愛らしい丸顔の女がお縁に笑顔を向けた。右の頬に小さな笑窪ができている。

お縁の手から袱紗が落ちた。

「あ、私が」

てまりに瓜二《うりふた》つの女が腰を落として、袱紗を拾い上げる。指のあちこちにあかぎれの目立つ、随分と荒れた手だった。

てまりなのか。

あの大火を生き延びていてくれたのか。

息を詰めるお縁の前で、女は手にした袱紗を軽く撫でて汚れを払うと、はい、と差し出した。屈託のない笑顔だが、お縁のことを見知っている素振りは微塵《みじん》もなかった。

あの、とお縁が口を開きかけた時、

「数珠の修理ですかな」

と、室内から声がかかった。

板敷の隅で房作りをしていた男が首を捩《ね》じり、こちらを見ている。数珠師の与一郎本人だった。髭《ひげ》は綺麗に剃《そ》っているものの、無造作に束ねた総髪に白いものが目立ち、目尻や頬に幾筋もの深い皺が寄る。年の頃は四十八、九。否、五十を過ぎているかも知れない。激しい動揺を何とか封じて、お縁は辛うじて与一郎に会釈をした。

「旦那さん、母様はよくお休みのようですし、私は今のうちに忍町《おしちょう》へお薬をもらいにいってきます」

「ああ、済まないが頼む。創玄《そうげん》先生にくれぐれもよろしくな」

与一郎と女との間でそんな遣《や》り取りがあり、女は、どうぞごゆっくり、とお縁に丁寧に頭を下げる。さり気ないが、慎み深い仕草だった。

もしも、このひとがてまりだとすれば、これほどまで見事にお縁のことを他人行儀に済ます道理がない。お縁は、四年前の子犬のようなてまりの姿を思い返した。

——きっと今夜は嵐《あらし》になるよ

耳の奥に、てまりの明るい声が弾《はじ》ける。

──あのけちんぼの母さんが、今日はあたしたちに串団子《くしだんご》のお土産《みやげ》を買ってきたんだ。一番高い餡子《あんこ》のだよ

辛酸を舐《な》めて生きているはずが、屈託なく笑えるひとだった。

そう、お縁の知るてまりは、話し方や仕草に、何処《どこ》か童女の名残りを留めているような愛らしさがあった。また、水仕事にも縁がなく、とても綺麗な手をしていた。目の前の、いかにも働き者のおかみさん、という風情のひととは随分と雰囲気が異なる。

「すぐに戻りますね」

与一郎に告げ、かたかたと下駄を鳴らして出ていく女の背中を見送って、お縁は考え込んだ。

やはり、三太の言う通り、他人の空似、ということなのだろうか。この世には自分と瓜二つのひとが三人居る、と聞いたことがあったし……。

「どれ、お品を拝見できますかな」

与一郎から声をかけられて、漸く我に返る。

勧められるまま板敷に上がると、お縁は袱紗を開いて男の前に差し出した。与一郎は珠を一粒つまんで、明かり取りから差し込む陽に翳《かざ》す。

「木槵子ですな。随分と使い込まれている」

お縁は、ええ、と控えめに応えた。

数珠は念珠といい、もとは唱えた念仏の数を覚えるためのもの、と言われる。宗派宗旨により数珠の形や作法などにも細かな違いがある。例えば数珠の房ひとつ取っても、手前に垂らしたり、向こうに垂らしたり、左側に垂らしたり、と作法は様々だった。ただ、青泉寺は墓寺《はかでら》という特異な立場にあることもあって、正真は常に、形にとらわれずとも良い、とお縁や市次ら毛坊主に説いていた。

「正式なものとは形が違いますし、珠にも木珠や石珠があるようですが、私には形にとらわれないその数珠が何よりの宝なのです」

お縁の言葉に、与一郎は穏やかに頷いた。

「大切なのは、どのような数珠を持つかではなく、どのような心構えで数珠を持つかでしょう。それに木槵子経、という経文にもあるように、百八の木槵子の種子を連ねた数珠は釈尊との縁も深いですからね」

数珠師は数珠をあつらえる職人ではあるけれど、やはりお釈迦《しやか》様の教えへの深い理解がないと務まらない。このひとは大変な精進をしておられる、とお縁は悟った。

与一郎は袱紗を引き寄せて珠を数え、子珠と母珠を分け始める。その手もとを、お縁はじっと見守った。

不思議なことに、町人には町人の佇まい、侍には侍の佇まい、というものが各々にあって、出自は隠しきれるものではない。与一郎には、何処となく侍の気配が漂っていた。ただ、数珠師の仕事は、浪士が日銭稼ぎにできるものではない。長い修練が必要だろうから、士分を捨てて数珠師になった、ということだろうか。

ぼんやりと思索するお縁に、与一郎が珠に目を落としたまま問う。

「差支えなければ、どの寺か教えて頂けませぬか」

「下落合の青泉寺です」

青泉寺、と復唱して、与一郎ははっと顔を上げてお縁を見た。

「下落合の青泉寺といえば……もしや、あなたは三昧聖か」

問われて、お縁は黙したまま頷いた。

そうでしたか、と数珠師は唸《うな》った。

「三昧聖の湯灌を受けた者は必ずや極楽浄土へ行く、と巷では大層な評判ですよ。そうですか、あなたがその三昧聖でしたか」

三昧聖が持つ数珠ならば、と与一郎はじっと考え込んだ。

会話が途切れて、お縁は見るとはなしに、室内に視線を廻らせる。板敷の隅に、小さな木彫りの仏像と位牌《いはい》、香炉から白檀のお香が薄煙を上げていた。よくある九尺二間の裏店とは作りが異なり、部屋はふた間。手前が与一郎の仕事場で、衝立《ついたて》で仕切られた奥は住まいになっているらしい。病人が居るのか、苦しげな息遣いがしていた。

大丈夫なのだろうか、とお縁が耳を欹《そばだ》てていると、微《かす》かに、かや、かや、と誰かを呼ぶ声が聞こえる。与一郎は、失敬、とお縁に断ると衝立の奥へと急いだ。

「与一郎、嫁御は、香弥《かや》は何処です？」

か細く、弱々しい声だった。

「母上の薬を取りに行ってもらいました。じきに戻るでしょう」

応じる与一郎の声がして、病人を寝かしつける気配があった。

ああ、先のてまりにそっくりなひとは、「かや」という名で、与一郎さんの連れ合いなのだわ、とお縁は思った。

姑《しゅうとめ》が嫁のことを心底頼りにしている様子が読み取れて、微笑ましい。

「お待たせして、相済みませぬ」

奥から戻ってお縁の前に座り直すと、与一郎はこう提案した。

「すぐにも直して差し上げたいが、何分、先に引き受けてしまっているものがあるのです。数珠がなければ心もとないだろうけれど、暫く預からせてもらえませぬか」

十日を目安に、との数珠師の申し出に、お縁は、はい、と頷いた。

「濡れることもあるだろうし、何とか、糸の持ちを良くしたいものだが……」

与一郎は木槵子の珠を前に、また考え込んでしまった。よほど真面目《まじめ》な性格なのだろう、お縁はふっと笑みを零《こぼ》して、板敷を下りた。小さな声で暇《いとま》を告げ、障子の引き戸に指をかける。だが、どれほど力を込めようとも、障子はがんとして動かなかった。

「ああ、それは私でないと」

気付いた与一郎が、慌てて板敷を這い下りる。そして、障子の上桟を宥《なだ》めるように拳でこんこん、と叩いたあと、下桟をどん、と蹴る。そうして左から右に引けば、障子はぎぎぎと軋みながらも開いた。

まあ、とお縁は目を丸くしたあと、可笑《おか》しくなってくすくすと笑い声を洩らした。

「旦那さんとおかみさんでなければ開かない障子なんですね。何て忠義な」

刹那、与一郎は何とも奇妙な表情を見せた。

促すような眼差《まなざ》しに従い、お縁は与一郎とともに外へ出る。昼餉《ひるげ》の仕度か、路地には味噌汁《みそしる》を煮返す香りが漂っていた。ほかに人影はない。

「初対面のあなたに、こんなことを打ち明けるべきかどうか……」

迷いを滲《にじ》ませつつも、与一郎は切りだした。

「半年前の江戸の大火を、三昧聖もご存じでしょう。先の娘はあの時に罹災し、自分の住まいはおろか、名さえも忘れ、この少し先の廃寺で行き倒れていたのです」

得意先へ数珠を納めた帰りに、その場に出くわした与一郎だった。御救い小屋は遠く、見捨てるわけにも行かない。そのまま背負って連れ帰って以後、娘はずっとここに身を寄せている、とのこと。

仔細《しさい》を聞くうちに、お縁の心の臓《しん》が早鐘を打ち始めた。しかし、与一郎はお縁の動揺に気付くことなく、話を続ける。

「呆《ぼ》け始めたことを気にして塞《ふさ》ぎ込みがちだった母は、娘の世話に生きる張り合いを見つけたのでしょう、まるでひとが変わったかのように、娘に食事を与え、自分の着物を仕立て直して着せ、家事を仕込みました。最初は名前のないのを不憫《ふびん》に思った母が、香弥と……その、私の死んだ女房の名で呼んで、あの娘もそれを受け容れて……そのうちに母は本当に、あの娘を嫁だと思い込んでしまったのです」

秋口に体調を崩してから母親の呆けはさらに進み、事態を悟った娘は、これまでの恩返しと言わんばかりに献身的に看病をしてくれている――そう一気に話したあと、与一郎はほとほと困惑した様子で首を左右に振った。

「便宜とは言え亡き妻の名をつけ、そのまま母の看病を任せてしまった。しかし、あの娘に家族が居れば心配しているでしょうし、このままで良い訳がない。どうしたものか、と」

与一郎の言葉が終わらぬうちに、かや、かや、と嫁を呼ぶ声がする。

与一郎はお縁に、数珠は暫く預からせて頂きます、と口早に告げて、あたふたと室内に駆け戻った。

助けて。助けて。

茶毘で見慣れたはずの火が、魔物に姿を変えて、背後からお縁に迫ろうとしていた。漆黒の闇は一面の緋色《ひいろ》の海と化し、熱風が轟々と渦を巻く。魔物の舌先がお縁の頬をちろりと舐め、焼き鏝《ごて》を押し付けられたような痛みを覚えた。耳もとでじりじりと髪が焼ける音がして、生きながら焼かれて死ぬる恐怖がお縁を貫いた。

誰か、誰か、助けて。

「助けて」

お縁は自身の声で目覚め、半身を起こした。

「夢……」

冷水でも浴びたように、総身にびっしょりと汗をかいている。

火の熱さ、物が爆《は》ぜる音、焼ける臭い、あたかも火事の場に身を置いたようだった。夢でさえこれほどなのだ、実際に火に呑《の》まれかけた者はどれほどか。香弥と呼ばれていた娘のことを先の夢と重ねつつ、お縁は寝間着の袖で額の汗を拭《ぬぐ》った。

「正縁、どうした」

「お縁坊、大丈夫か」

襖の向こうから、案じる声がかかった。仁平と市次だった。お縁の悲鳴を聞き、駆けつけてくれたのだろう。布団を這い出して襖の傍《そば》まで行くと、お縁は申し訳なさに身を縮めつつ襖越しに応じた。

「大丈夫です、ちょっと怖い夢を見てしまっただけです」

済みません、とお縁が詫《わ》びれば、毛坊主ふたりは襖の向こうで安堵《あんど》の息を吐いた。

「数珠が手もとにないってのは、心もとないもんさ。悪い夢を見ても仕方ない」

仁平が言えば、

「三太みたいに、自身番から届けてもらうまで、手前の大事な数珠を落としたのにも気付かないって奴とはえらい違いだぜ、お縁坊は」

と、市次が応える。

まあ、とお縁は思わず口もとを緩ませた。

今夜は珍しく三太が、住職と副住職のお供で出かけている。戻りは翌朝になるとのことだったが、師匠たちが留守の時にお縁に何かあっては、と市次と仁平は気にしてくれていたのだ。ふたりの気持ちが胸に沁《し》みた。

「心配をかけてごめんなさい」

手を合わせて詫びるお縁に、ふたりは口々に、風邪を引くから早く布団に戻りな、と伝えた。

「市次たちから聞いたよ」

翌朝、戻るなり事情を知ったのだろう、正念はお縁を本堂に呼んで、袱紗を差し出した。

受け取って開くと、木玉の二輪数珠が入っていた。見覚えがあるそれは、正念の数珠が切れた時、直るまでの間に持つ予備の数珠だった。

「私の数珠は直して間もないし、大丈夫だから、それは正縁が持つと良い」

正念の言葉に、お縁はおずおずと数珠を手に取った。そっと両の手で包み込むと、微かに良い香りがする。

「白檀の木玉だよ」

すんすん、と鼻を鳴らしている娘に、正念は笑いながらそう教えた。

仄かな香りは、持つ者にしかわからない控えめなものだった。正念さまらしいわ、と柔らかな気持ちのまま、お縁は数珠を手に、ありがとうございます、と丁重に一礼した。

では、と立ち去りかける正念の背中に、お縁は呼びかける。

「正念さま、ひとつ伺っても宜しいでしょうか？」

「改まって何だい？」

正念は座り直して、お縁に問うた。

齢三十七の正念は、お縁が出会った頃の穏やかな風貌《ふうぼう》のまま、外観はあまり変わらない。ただ、母の咲也《さくや》を見送って以降、さらに慈愛の念が深まったようで、正念の湯灌を望む遺族も増える一方だった。

「抗《あらが》いがたい大禍に遭ったひとが、自分の名前や来し方を忘れてしまうことはあるのでしょうか？」

お縁の問いかけに、正念は訝《いぶか》しげな面持ちをしつつも、こう答えた。

「この間の大火で、そうしたひとが幾人も現れて、御救い小屋や自身番は対応に大わらわだった、と聞いているよ。生きながら焼かれる恐怖、というのは度し難いだろうからね」

正念の言葉に、やはり、とお縁の胸は激しく動悸《どうき》を打ち始めた。

かや、と呼ばれたあの娘は、やはり、てまりに違いないのではないか。大火に呑まれる夢でさえ、あれほどまでに恐ろしいのだ。実際その身に起きたことならば、何もかも忘れてしまっても不思議ではないだろう。

「ならば、そうしたひとと関わった時、周りの者はどうすべきなのでしょうか」

お縁のさらなる問いかけに、正念は丁寧に答える。

「身内が行方知れずになった場合、あるいはそうした者を保護した場合、いずれも自身番に申し出るなどして、僅かな手がかりも洩れることのないようにするのだよ」

ただ、と正念は思案顔で言い添えた。

「厄介払いができた、と考える者は、たとえ身内でも探索を願い出ようとはしないだろう。それに、保護した場合でも、自身番に知らせることで、痛くもない腹を探られるのを厭《いと》う者もいる。江戸で親もとに戻れない迷子が多いように、大人の場合も、なかなか、もとの暮らしには戻れないようだよ」

まこと、ひとの世は儘《まま》ならぬものだ、と正念は難しい表情で結んだ。

約束の十日までには、まだ三日ほどを残す。お縁は正真の使いで忍町まで行った帰り、路地を抜けながら、てまりに瓜二つの娘のことを思った。

あれから幾度となく考えた。

会わなくなって四年、言葉遣いや所作は変わっているけれど、風貌は四年前の面影をあまで留めているのだ。やはりあれはてまり本人に違いなかろう。

与一郎の声がお縁の脳裡《のうり》を過《よぎ》る。

――このままで良い訳がない。どうしたものか、と

あの台詞《せりふ》からすると、てまりの身元を明らかにするための手立てを、与一郎はまだ何も取っていないのではないか。自身番なら近くにあるだろうに。

それとも正念が話していたように、痛くもない腹を探られるのを懸念してのことか、とあれこれ推し量って歩いている時だった。

あら、と洩れそうな声を呑みこんで、お縁は立ち止まる。診療所の前に置かれた床几《しょうぎ》に、身体《からだ》を斜めにして座る女を認めた。数珠師宅に身を寄せている、てまりと思《おぼ》しき件《くだん》の女に違いなかった。床几の板にひとさし指を擦り付ける仕草を続けていた。

何をしているのかしら。

お縁は少し離れた位置から、その様子を見守った。視線を感じたのか、女が顔を上

げる。

「あっ、この間の……」

僅かに頬を赤らめて、女はお縁に軽く会釈してみせた。

お縁が歩み寄れば、女は傍らに置いていた薬の包みを除《よ》けて、座る場所を作ってくれた。与一郎の母のために、ここまで薬を取りに来たのだろう。

床几で何をしていたのか、とのお縁の問いかける眼差しを受けて、女は手の中の書付を見せた。

与一郎、富路《とみじ》、香弥、と読み易《やす》い文字で書き留められている。随分長く持ち歩いているのか、紙は毛羽立ち、薄汚れていた。

「母様に書いてもらったんです。母様と言っても、もともと何の関わりもありはしない。あたしは――私は、火事のあと、何もかも忘れてしまって」

蓮《はす》っ葉な物言いを自ら改めて、女は続ける。

「自分が何処の誰かも思い出せない。字も沢山忘れてしまって……いえ、もしかしたら最初からあまり読み書きができなかったのかも知れないけれど」

あとの言葉を少し声を低めて言い、哀しそうにお縁を見て微笑んだ。

「香弥って、旦那さんの亡くなったおかみさんの名前なんですよ。本当に大事に思っておられるのでしょう、旦那さんはお位牌に線香を絶やしたこともなくて。私も、せめて恩を受けたひとたちの名前を書けるようになりたくて、練習してるんです」

数珠師の与一郎、その母親が富路。かや、というのはこう書くのか、とお縁は書付に見入った。

診療所の中から診察を終えたひとが出てきたのを機に、ふたりはどちらからともなく立ち上がり、塩町の方角へ並んで歩き始めた。長月も半ばを過ぎたが、陽射しは暖かく、風のない日中、外を歩くのはとても心地よい。

「自分が何処の誰なのか、どうやって生きてきたのか、それが全くわからないって本当に怖い。怖くて仕方がないんです」

てまりにそっくりな女は、小さく息を吐き、お縁の方は見ずに、言葉を繋いだ。

「最初の頃は、品のない口の利き方をして、母様に随分と諫《いさ》められたの。料理も裁縫も何ひとつ真面《まとも》にできなくて。だからきっと、私はろくでもない暮らしを送っていたのかも知れない。本当に一体、今まで何処でどうやって生きてきたのやら……」

お縁の知るてまりは、十二で養い親に湯島の岡場所に売り飛ばされ、その日のうちに客を取らされたと聞いている。湯島から御箪笥町《おたんすまち》、そして神田の女郎宿かがり屋へと店を移る度に前借が増え、雁字《がんじ》搦《がら》めとなっていた。挙句、てまり自身は知らないことだが、紛《まが》いの鼈甲の櫛を誓いの品に贈った男に騙《だま》されて、あわや、さらなる苦界へ送り込まれるところだった。

お縁が黙り込んだのを気にしたのか、女は視線をお縁に戻した。

「でも、今は毎日がとても穏やかで、このまま……ずっとこのままでも良いかしら、と思えるんです」

先ほどまでの口調から一変、柔らかな声音だった。

満ち足りた笑みを浮かべている女の右頬に小さな笑窪がひとつ、その笑窪に晩秋の陽射しが憩う。女の笑窪に見入るお縁の視界がふいに潤んだ。

――あのひとはあたしにとって神様みたいな人なんだよ
四年前、おみのことを語った時の、てまりの声が蘇る。おみのが同じ苦界に居ることを思えば、どんなことでも辛抱できる、と語った声が。

神田のかがり屋は焼失し、強欲な女将や、おのぶやひさえなど他の女郎らがどうなったのか、知る由もない。てまり自身、岡場所の女郎だった過去を忘れてしまっているなら、その方が良い。今の暮らしが幸せなら、それで良い。苦界に落ちたひとを、神仏はこういう形でお救いになったのだ、とお縁には思われて仕方がなかった。

「あなたはきっと良いひとね。一緒に居ると、とても安らぐもの。今さらなのだけれど、お名前を教えてもらっても構いませんか」

「下落合の青泉寺の、正縁と申します」

お縁の返事を聞いて、相手は立ち止まり、正縁、正縁、と反復した。

「不思議だわ、何処かで聞いたことがあるような気がする。もしかして、昔の私はあなたを知っていたのかしら？」

問われてお縁は、いいえ、ときっぱりと首を横に振った。

「私はあなたを知らないので、それはないと思います。それより、急がないと、富路さんたちが心配しておられますよ。香弥さん」

お縁はそう言って、香弥を促した。


「おお、香弥。三昧聖も一緒でしたか」

笹寺へ通じる路地に入った途端、その姿を認めて与一郎がおろおろと走り寄った。香弥の帰りを今か、今かと待ち兼ねていた様子だった。

「何かあったんですか」

焦った声で尋ねる香弥に、与一郎は、いやいや、と手を振ってみせた。

「驚かせて済まない、香弥。母がお前に背中をさすってほしいと言って聞かんのだ。

私では駄目なんだそうな」

与一郎の返答に、香弥は小さく息を吐いて、右手を胸に置く。

「旦那さんの手だと力が強過ぎるんですよ」

「そんなことはない、気を付けてそっと撫でさするようにしているのだ」

少しむきになって言ってから、年甲斐《としがい》もない、と思ったのだろう、与一郎は弱った体で頭を掻《か》いた。

その様子に香弥はくっくと笑う。香弥に笑われて、ますます与一郎は身を縮めた。

父と娘ほどの年の差があるふたりだが、そんなさり気ないやり取りが微笑ましい。

「正縁さん、ここで失礼しますね」

香弥はお縁に断りを言い、ちびた下駄を軽やかに鳴らして室内へと急いだ。

「三昧聖、申し訳ない、まだ少しかかります」

仕事場にお縁を誘うと、与一郎は作業台の数珠を示して、頭を下げた。

木槵子の珠が白い通し糸で繋がれている途中だった。もとより期日まで三日を残しているのだ。お縁は催促に来たわけではないことを話して、与一郎が淹《い》れてくれた茶に手を伸ばした。

香弥、香弥、と衝立の向こうから、富路の声がしている。

「ふたり静はどうしていますか？　あれは陽に当て過ぎては駄目になってしまう」

「はい、半日陰になるように鉢を移していますので、大丈夫ですよ」

応じる香弥の声が優しい。

「母様に教わった通り、植え替えをして、根腐れしないよう水遣りにも気を付けています。昔、故郷から母様が持ってきた唯一の思い出の品ですものね」

香弥の説明に、富路は安堵の溜息《ためいき》で応えた。

衝立の奥の様子を気にしつつ、ひと碗《わん》の茶を飲み干すと、お縁は暇を告げ、与一郎に送られて外へ出た。

隣りの棟との境に狭い庭があり、そこに植木鉢が幾つも置かれている。お縁は先ほどのふたりの会話を思い返して、もしかしたら、と鉢植えを注視した。

そこに植えられた植物は、初冬を控えて休む用意に入ったのか、茎も葉も枯れ始めている。辛うじて、鋸《のこぎり》状の縁《ふち》の葉が四枚、認められた。

「あれが、ふたり静です。母が昔から育てていましてね。郷里から持ってきた一株を上手く増やして、方々へ分けているんですよ」

母の唯ひとつの楽しみでして、と昔を懐かしむ声音で与一郎は話した。

ふたり静、とお縁は繰り返し、控えめに白い歯を覗かせる。

「ご存じですか、ふたり静を」

与一郎に問われて、ええ、とお縁は微笑み、頷いてみせた。

ふたり静は、夏の初め、二本の花穂が寄り添うように天を目指す山野草だった。ひとり静が静御前の舞い姿に準《なぞら》えられての命名ならば、ふたり静は謡曲「二人静」が由来とされ、静御前の霊とそれに取りつかれた菜摘女、ふたりの姿に喩えられた。秋冬は枯れてしまうし、普段はひと目を引かないのだが、ふたり静の一風変わった花穂と、ころんと丸い露のような花は見る者の心に残る。

「ひとり静、という花ならば、青泉寺の裏の竹林に群生していますが、ふたり静はあまり見かけません」

お縁の言葉に、与一郎は、確かに、と頷いた。

「ひとり静は静謐《せいひつ》な花ですが、どうにも寂しそうでいけない。ひとりよりもふたりの方が賑《にぎ》やかで良いですな、草花も、それにひとも」

開け放った障子から、奥の部屋の女ふたりの笑い声が洩れ聞こえて、与一郎は背後を振り返った。

「ほら、香弥、また私のことを『富路様』だなんて、他人行儀な呼び方をして。私はお前の姑ですよ」

「そうでした、母様」

そんな会話が聞こえたあと、またふたりして笑っている。倹《つま》しい部屋から光が零れてくるような、温かな笑い声だった。お縁は知らず知らず、頬を緩めていた。

「お預かりした数珠は三日のうちには直しを終えて、そうですな、香弥に青泉寺まで届けてもらいましょうか」

別れ際、与一郎からそう提案されて、お縁は慌てる。

お縁の足なら慣れた道のりだが、ここから青泉寺までは大分とある。ことに七曲坂から見送り坂は、歩き慣れない者には辛《つら》かろう。

遠慮するお縁に、与一郎は真摯《しんし》な眼差しを送る。

「香弥は、あの娘は、年の近い者ともっと話すべきなのです。そうすることで、何か思い出すかも知れない」

是非とも、そうさせてほしい、と強く請《こ》われて、お縁は仕方なくこれを受けた。

長月、二十六日。

急に季節が歩みを早めたようで、立冬を迎えたこの日、外に出していた水桶に薄く初氷が張った。三日前はほどよい暖かさだったはずが、今朝は吐く息がうっすらと白い。一夜明ければ銀杏《いちょう》や紅葉《もみじ》などで錦《にしき》の布団を敷いた青泉寺の庭も、随分と掃除が楽になった。かじかむ両手に交互に息を吹きかけてから、お縁は箒《ほうき》に腕を伸ばす。

「寒い、寒い」

市次が背中を丸めて、庫裏から出てきた。

「これからの季節、年寄りや病人には辛ぇな」

独り言を洩らして、市次は水桶の氷を捨てている。お縁も自然と表情を引き締めた。酷暑の夏と、極寒の冬。弔いが多いのはこのふたつだった。ことに春と秋の過ごし易い季節が終われば、火屋《ひや》に煙の棚引かない日はなくなる。

「お縁坊、今日も宜《よろ》しく頼むぜ」

新たに汲《く》み直した水を手に、市次はお縁に声をかけた。お縁は通夜堂の方へ目をやって、市次に、こくりと頷いた。

通夜堂には昨日の朝に息を引き取った宿場女郎の亡骸が安置されている。女郎の馴染み客数人が、その不憫な身の上を憐み、銭を出し合って青泉寺で三昧聖の湯灌を受けさせることにしたのだ。

「銭は出しても、夜伽《よとぎ》はしねぇってのもなあ」

朝餉《あさげ》を終えたあと、茶碗を洗いながら、三太が口を尖《とが》らせる。

「手前らが情を交わした女じゃねぇか、一夜くれぇ付き添ってやっても罰は当たらねえのに」

死者の傍に夜通し付き添い、蠟燭《ろうそく》や線香を絶やさぬようにする心遣いがあってしかるべきだが、馴染み客の誰もそれをしなかった。

「情なしにもほどがあるぜ。夜伽は何よりの功徳になるってのに」

仁平が真顔で応じた。まあまあ、と市次がふたりを宥めにかかる。

「末は投げ込み寺、と覚悟していた者にとっちゃあ、三昧聖の湯灌を受けられるってだけでどれほど有り難いことか。新仏にしても、それ以上のことは望んでいないだろうよ」

あとは俺たちが懇《ねんご》ろに送ってやろうじゃないか、と市次に諭されて、三太と仁平は黙った。

春を鬻《ひさ》ぐ女が息絶えれば、ろくな弔いもしてもらえず、亡骸は投げ捨てられるに近い。否、遊女ばかりではない、火葬代のない貧しいものは棺桶《かんおけ》に収まったまま、名ばかりの墓地にごく浅く埋められるのが習いだった。盛り土をし、底上げされた地に新たな棺桶が次々に重ねられ、埋められていく。歳月とともに下の棺桶は無残に潰れ、やがて棺桶の小山ができる。無論、墓標もないため、何処に誰が埋葬されているか、わからない。貧しい者の多くは、そうした弔いを甘んじて受け容れるしかなかった。

他方で、銭持ちは駕籠《かご》焼き、釣り焼き等々と火葬の方法を選ぶこともできた。

存命中も、さらには死してさえも、貧富の差がつくのは御仏《みほとけ》の心に適《かな》ったものではない。青泉寺ではその一念で、どのような新仏に対しても同じように接するのだ。

「市次、仁平、三太、それに正縁」

庫裏の戸が開いて、正念が顔を覗かせる。

「湯灌は昼からだが、そろそろ仕度にかかっておくれ」

副住職の言葉に、四人は、はい、と声を揃えた。


白麻の着物に縄の帯を結ぶ。髪を白麻の布で包むと、最後に縄を襷《たすき》に用いてきゅっと結び、身仕度を終えた。

「あとは、と」

灰の入った壺《つぼ》、柘植《つげ》の櫛、それに、とお縁は小箱を引き寄せた。蓋《ふた》を取れば、色合いの異なる紅が幾つも並ぶ。三昧聖の湯灌に感銘を受けた遺族が、用立ててほしい、と新仏の形見の紅を寺に残していったものが、何時《いつ》しかこれだけ集まったのだ。

庭では、薪の爆ぜる音が聞こえる。市次ら毛坊主たちの手で湯が沸かされ、逆さ水の準備が整えられつつあった。

「お縁坊」

襖越しに市次が呼んでいる。

湯灌にはまだ少しあるはずだが、と思いつつ、お縁は襖に手をかけた。見覚えのある袱紗を手に、同じく湯灌の装束を整えた市次が立っていた。

「四谷塩町の数珠師から使いが来たぜ」

ほら、中を改めてみな、と差し出された袱紗を、お縁は受け取る。あれから三日、与一郎はきちんと約束を守ったのだ。持参したのは香弥だろうか。

開いてみれば、黒光りする木槵子の数珠に純白の房が付いていた。泥土に咲く蓮の花弁に似た、無垢《むく》の白。その房を撫でて、お縁は与一郎に胸の内で礼を言い、数珠を大切に懐に仕舞った。

南無阿弥陀仏《なむあみだぶつ》

南無阿弥陀仏

厳《おごそ》かに読経の流れる中、予《あらかじ》め水が張られた盥《たらい》に、市次らが大釜から熱湯を移していく。立冬の冷気のせいで、湯灌場には白い湯気が漂っていた。

遊女の亡骸は全裸にされた上で、帷子《かたびら》をふわりと掛けられている。

「正縁」

三太がお縁の傍に寄り、低い声で呼んだ。

顔を上げるお縁に、三太は眼差しで遺族の席を示す。誰も居ないはずのその場所に、
香弥がきちんと正座していた。おそらく、香弥自身が弔いの場に出ることを望み、数
珠を持参したのも何かの縁だから、と正真がその参列を許したのだろう。

ありゃあ、どう見たってあの時の……。

三太の眼差しがお縁に訴える。しかし、同じくてまりを見知っているはずの正念の
読経は少しも揺れることはない。

今はただ無心に、新仏の弔いを。

お縁の気持ちを汲んだのだろう、三太は徐《おもむろ》に頷いて、後ろに下がった。

正念とお縁は息を合わせて、遊女の亡骸を抱き上げ、逆さ水で満たされた盥へと入
れる。

白粉《おしろい》を落とす間もなく病床についたらしく、顔から首にかけて、斑《まだら》に白い。胸を患

い、苦しんで息絶えたと聞くが、あばら骨がくっきりと浮き、身体の皮膚も青黒く沈んで見える。口の周りに血がこびりつき、胸のあたりは爪でひっかいた痕《あと》が幾筋も残っていた。よほど苦しかったのだ、とお縁は左腕を差し入れて、新仏の肩から背中を支え、右手に持った手拭いで、その身体を丁寧に清めていく。帷子が水を吸い、肌に吸い付いているが、布一枚があるだけで、仏も安逸の表情になるように思われた。

　硬直した身体を湯の中で優しく揉《も》み解《ほぐ》せば、徐々に強張《こわば》りを解いていく。手拭いで首や顔の白粉を洗い流し、口の周りの血も綺麗にした。長く髪の手入れもできていなかったのだろう、灰汁《あく》を用いて、お縁は丹念にその髪を漱《すす》ぐ。

　隅々まで洗い清められて、新仏は再び筵に横たえられた。鼻や肛門《こうもん》、膣《ちつ》など、体液が漏れ出ないようにお縁の手で綿が詰め直された。手を漱いだあと、お縁は少し考え、三太に塗り薬を用意してもらい、それを新仏の胸の傷に擦り込んだ。もう痛みは去っているけれど、手当てをせずにはいられなかった。

　真新しい帷子を着つけると、新仏の傍らに膝を揃えて座り、お縁はその顔を覗き込む。白粉を落としてみれば、まだ十代か。お縁は年若い娘の苦労を思いやった。綿を解し、小さく千切ると、口腔《こうこう》内に指を滑り込ませ、頰の内側に少しずつ綿を含ませる。手持ちの紅の中から、淡い色のものを選び、少量を削って自身の手の甲に置く。

水で溶いた紅を新仏の両の瞼《まぶた》の中ほどに載せ、目尻に向けて、すっすっと伸ばした。生前は濃い赤に染められていただろう唇にも、控えめに紅を差す。

正真の唱える経文が静かに流れ、時折り、ちゃちゃっ、ちゃっ、と鳥の鳴く声が混じる。笹鳴《ささな》き、と呼ばれる鶯《うぐいす》の声だった。あとは皆、押し黙ってお縁の仕草を見守っている。

髪に剃刀を当てられ、旅立ちの準備を整えた娘は、全ての苦しみから解き放たれ、安らかに、ただ眠っているようだ。

この世に生を受け、懸命に生きた。お縁にはその一事が、ただただ尊い。懐から数珠を取り出すと、真新しい純白の房を垂らして娘の胸にあてがい、自らの身を寄せて、小さく、南無阿弥陀仏、と繰り返した。

毛坊主たちの手で新仏は早桶に納められ、火屋へと運ばれていく。お縁は湯灌場でそれを見送って、手にした数珠を懐へとしまった。

遺族の席へ足を向けて、お縁は狼狽える。香弥が横座りになり、両の手を土についたまま、焦点の合わない目を天に向けていた。

香弥さん、と呼びかけて、お縁は駆け寄った。

「香弥さん、大丈夫？」

幾度も名を読んで、その肩を揺さ振る。そうされて初めて、香弥はお縁に気付いた。

「正縁さん、私……私は……」

あとは言葉にならず、香弥は口を覆った。胃の中のものが押さえた指の間から流れ出る。お縁は袂《たもと》から手拭いを引き出し、香弥の口にあてがうと、その背中を撫でた。

風が出てきたのか、障子をかたかたと鳴らす。

夕映えの気配が障子紙を薄く染めていた。香弥は苦しげな寝息を立てている。胃の腑《ふ》が空になるまで吐いたあと、気を失ったのだ。悪い夢を見ているのか、総身に脂汗をかいていた。お縁は傍らに置いていた手拭いを取った。

「正縁」

正真の声がして、襖がそっと開かれた。

香弥の汗を拭っていた手を止めて、お縁はその枕元から身体をずらす。

「様子はどうか」

「苦しそうに眠っておられます」

お縁の答えを聞き、そうか、と正真は腕を組んだ。

「身寄りのない新仏の弔いに出くわしたのも何かのご縁だろうから湯灌に立ち会いた

い、と懇願されたが、許すべきではなかった。若い女人には、辛いものがある」

塩町へは三太が使いに行き、明朝、与一郎が迎えに来る手筈《てはず》になっている、と聞いて、お縁はそっと胸に手を置いた。こんな状態の香弥を帰すわけにはいかない、と思っていたところだった。

「今夜は傍についてやりなさい」

正真に言われて、お縁は、はい、と頷くと師に深々と頭を下げた。

香弥は眠りながら呻《うめ》き声を洩らし、助けを求めるかの如《ごと》く、手で空を掻く。お縁は深夜までその汗を拭い、手を握り続けた。

風は一層強くなり、樹々《きぎ》を揺らす。障子はがたがたと激しく鳴り、隙間風が行灯《あんどん》の火を消した。手が塞がっているので、行灯の火入れを断念するしかない。月明かりはないものの、星影で障子の在《あ》り処《か》はわかった。朝まで寝ずに付き添うつもりが昼の疲れが出て、お縁は何時の間にか、うつらうつらと寝入ってしまった。

がくり、と首が落ちそうになり、はっと目覚める。

正縁さん、と低く呼ぶ声がして、衣擦《きぬず》れが聞こえた。眠っていたはずの香弥が、夜着を剝《は》いで半身を起こしたようだった。

香弥さん、とお縁も優しく呼んで、

「気分はどう？　お白湯《さゆ》でも飲む？」

と、問いかけた。

返事はなく、動く気配だけがあった。

「待って、今、明かりを」

行灯の火を入れようとするお縁を、香弥は、このままで、と掠れた声で制する。

闇に目が慣れてくると、障子の外の星明かりだけで、香弥の様子があらかた判断できた。香弥はお縁の方へ身を乗り出して、何か言おう、と逡巡《しゅんじゅん》を重ねていた。

「正縁さん」

漸く香弥はお縁を呼んだ。思いがけず静かな声だった。

「正縁さんは嘘をついたのね」

お縁は浅く息を吸い、相手の言葉の続きを待った。

香弥は手を伸ばし、お縁の右手を両の掌でそっと包み込んだ。

「下落合にいる三昧聖はどんな身の上の女でも洗い清めてお浄土に旅立たせてくれる。その手にかかれば苦界に身を沈めた女でも、綺麗に輝くようになって旅立っていく
――そうよ、この手はそういう手だった」

握る手にぎゅっと力を込めて、香弥は続けた。

「この手がどんな風におみの姉さんを洗い清めたか、お浄土に旅立たせてくれたのか、あたしはよく知ってたんだ」

香弥に手を取られたまま、お縁は苦い声を洩らす。

「香弥さん、それは……」

「香弥なんかじゃないよ。あたしはかがり屋の抱え女郎のてまりさ」

思い出しちまったんだ、と香弥はお縁の手をふいに放した。

「全部、何もかも全部、思い出しちまったんだよ、正縁さん」

苦しげに、香弥は語り出した。

あの日、かがり屋の女将は証文の入った銭箱を抱え、女郎らを従えて火の中を逃げた。神田明神へ逃げれば良かったものを、前回の大火で焼けたことを気にしたのか、神田川沿いを東へ向かった。風上を目指したはずが、炎の渦が新たな風を生み、逃げ惑うひとびとの頭上に火の粉を降らせる。銭箱を持った女将が転び、おのぶが助けるために駆け寄った。同じく戻ろうとするてまりの腕を、ひさえが摑《つか》む。

その刹那《せつな》、爆風が目の前を火の海に変えた。真っ赤な炎を背景に女将とおのぶの姿が影絵のように浮き上がり、そのまま呑み込まれた。てまりの記憶はそこで途絶えている。何処をどう逃げ延びたのか、廃寺に倒れたところを与一郎に助けられたのだ。

「ところどころ抜け落ちてるだろうけれど、正縁さんの湯灌を見て、おみの姉さんを思い出したら、それが手掛かりとなって昔のあたしが一気に、あたしの中に戻ってきたのさ」

香弥のものではなく、聞き覚えのあるてまりの口調へと変わっていた。

てまりは開いた両の掌を拳に握ると、何かに耐えるようにぐっと力を込める。お縁の案ずる気持ちを察して、御神仏も底意地が悪いよね、と苦く笑った。

「何も思い出さなければ、きっとずっと今のままでいられただろうに」

吐息とともに絞り出された、諦念《ていねん》の滲む声だった。

このひとはあの家を出るつもりなのだ――お縁は悟り、咄嗟《とっさ》に友ににじり寄った。

「今のままでいて良いのよ。与一郎さんも富路さんも、あなたの人柄に惹《ひ》かれて一緒に暮らしておられるのだもの」

「それは違うよ、正縁さん」

頭《かぶり》を振って、てまりは強い口調で続ける。

「旦那さんは、何か事情があって数珠師になったんだろうけど、もとはお武家さまだよ。あたしみたいな女が亡くなった御新造さんの名前で呼ばれるだなんて、それこそ罰が当たる」

「当たらないわよ、罰だなんて」

お縁も必死だった。

亡くなったおみのの想い、てまりの幸せを願い続けたその想いを守りたかった。

否、おみののためばかりではない、お縁自身もまた、てまりが得た幸せを守り通したい、と強く願う。苦界を抜けた先にあった、小さな陽だまりを守り抜きたい、と。

てまりを縛っているのは、かがり屋への重い前借だが、その証文はおそらく焼失している。また、これまで何の手がかりもなかったことや、てまりの話から判断するに、かがり屋の女将の生存は難しい。

仏に仕える身で、そういうことに思いを巡らすお縁こそが罰当たりなのであって、てまりに何の罪科《つみとが》があろうか。

「今のまま、香弥さんのままで、与一郎さんのもとへ帰れば良いのよ」

そう言って取り縋《すが》るお縁の手に、そっと我が手を重ねて、てまりは頭を振った。

「駄目なんだってば、正縁さん。生きるためとはいえ、これまで数えきれないほどの男に抱かれてきたんだ。このまま知らん顔で、香弥と呼ばれて、旦那さんの傍に居ることはできないよ、そんなこと、あたしにはできない」

——旦那さんの手だと力が強過ぎるんですよ

——そんなことはない、気を付けてそっと撫でさするようにしているのだ
お縁の脳裡に、香弥と与一郎の姿が浮かぶ。ごく自然で、微笑ましいふたりの姿が。

ああ、とお縁は洩れそうになる声をぐっと堪《こら》えた。

てまりさんは、与一郎さんのことを好いているのだ。

真実、好いているのだわ。

そう気付いた途端、お縁はかけるべき言葉を失った。声の途絶えた室内で、風鳴りだけが虚《むな》しく続いていた。


翌朝早く、与一郎が息を切らせて青泉寺へと駆けつけた。

「香弥は、香弥はどんな具合でしょうか？」

挨拶《あいさつ》も忘れて、いきなりそう尋ねる与一郎に、応対に出た正念は目もとを和ませる。

大事ない、と聞かされて、数珠師は両の膝に手を置き、前屈みになって大きく息を吐いた。そしてお縁の方へ向き直り、会えますかな、と問うた。

遣り取りは庫裏の奥にある部屋まで届いたのだろう、お縁が呼びに行った時には、てまりは身仕度を整えて正座して待っていた。

「与一郎さんがいらしたけれど、ここへお通ししましょうか？」

この場で話し合うのが良いのか、お縁にもわからない。もしかしたら、てまりは与一郎とは会わずに、このまま姿を消してしまうのではないか、とお縁は恐れた。そんなお縁の気持ちを見通したのか、てまりは背筋を伸ばして、唇を解いた。

「正縁さん、心配いらないよ。黙って消えてしまうような恩知らずな真似《まね》はしない。犬猫だって三日飼われたら恩を忘れないって言うだろ？」

女郎として生きていた身に、半年をかけて裁縫や料理や家事を仕込んでもらい、温かな家庭の暮らしを経験させてもらえた。あの家へ戻って、ちゃんと訳を話して、お礼を伝えてから出ていくつもりだ、と聞かされて、お縁は項垂《うなだ》れた。

「香弥」

てまりを認めると、与一郎は駆け寄り、その顔を覗き込む。見る間に眉《まゆ》が曇った。

「いかんな、顔色が良くない」

さあ、おぶさりなさい、と娘に背中を向け、片膝を土につき腰をぐっと落とす。

「旦那さん、大丈夫ですから」

「年長者の言うことには従うものだ」

遠慮するてまりに強く命じ、与一郎は無理にも娘を背負った。

「正縁さん、色々とありがとう」

与一郎の背中から、てまりはお縁に礼を伝える。その眼差しに決意が滲んでいた。お縁は応じる言葉を持たず、ただじっと友の瞳を見返すばかりだった。

白髪交じりの男が、若い娘を背負って見送り坂を下っていく。お縁は与一郎の背中で揺られるてまりを思う。あれが最後の道行《みちゆき》になるとしたら、何と切ないことか。

「あんな足取りで大丈夫かね」

寺門の表で、仁平が心配そうに言えば、

「四谷塩町までは遠いが、上り道とは違うから、何とか持つだろうぜ」

と、市次が応える。

「あの娘には、何としても幸せでいてほしいものだ」

遠ざかるふたりの姿を見送って、正念が呟いた。

傍らのお縁はそのひと言を聞いて、正念が何もかも気付いていることを悟った。

神無月《かんなづき》に入り、寒さは日に日に身に応える。雪の便りこそまだ届かぬが、性質《たち》の悪い風邪が流行《はや》り始めて、青泉寺でも弔いが続いた。お縁はてまりのことを案じつつも、確かめる術《すべ》を持てぬまま、忙しい日々を送っていた。

「正縁、数珠師への支払いはどうしたのだい？」

小雪《しょうせつ》を迎えた朝、正念からそう問われて、お縁は戸惑った。支払いは大抵、節季にまとめて行うものと決まっている。

「再来月、年の暮れに、と思っています」

「それではいけないよ。これまでに付き合いのある相手ならまだしも、今回初めてお世話になったひとだ。なるべく早く、直し料を持って伺いなさい」

正念の台詞に、お縁はあっと思う。てまりのその後を案じるお縁のために、与一郎のもとを訪れる口実を用意してくれたに違いなかった。正念の気持ちに甘えることに決め、そうさせて頂きます、とお縁は丁重に頭を下げた。

昼過ぎ、湯灌を終えたお縁は、四谷塩町の与一郎の家へと走った。


あっ。

お縁は洩れそうになる声を、すんでのところで呑み込んだ。

裏店の狭い庭に、こちらに背中を向けているひとの姿があった。落栗色の着物姿の女が植木鉢に、欠けた茶碗で水を与えている。間違いなく、てまりそのひとだった。てまりの気性からすれば、きっと決めた通りに出ていくはずだ。それが何故、ここに留まっているのだろう。

大切な友が行方知れずになっていないことに安堵しつつも、どうしてもその疑念を払拭《ふっしょく》できず、お縁は声をかけて良いものか逡巡する。

「あっ」

丁度、引き戸を開けて表へ出ようとしていた与一郎が、お縁を目ざとく見つけた。

「与一……」

お縁に皆まで言わせず、与一郎はその肩を無理にも摑んで、攫《さら》うように路地奥へとお縁を連れ出した。

「三昧聖、手荒な真似をして申し訳ない」

笹寺隣りの稲荷《いなり》社の境内に辿り着いたところで、漸くお縁を解放し、与一郎は深く頭を下げて詫びた。

境内に一本だけ植えられた白樫《しらかし》に野鳥が棲《す》み着いているらしい。あれは青鵐《あおじ》か、黄色い腹の小鳥の姿が葉陰からちらちらと覗いていた。

「いえ、それよりも……あの……」

どう切り出して良いかわからず、お縁は言いよどんだ。

「何もかも全部、洗い浚《ざら》い聞きました」

お縁の目を見て短く伝えたあと、言葉を選びつつ、与一郎は詳細を語った。

あの日、与一郎とともに家に戻った娘は、与一郎と富路を前に、記憶が戻ったことを告げ、かがり屋の抱え女郎だった過去を打ち明けた。だが、呆けの進んだ富路には、てまりの話すことが全く理解できない。ともに暮らした半年で、富路の記憶の中の香弥は、目の前の娘とすり替えられてしまったのだ。これまでの厚情に対する謝意を伝え、そのまま出ていこうとする娘を、富路は必死で引き留めた。

「鉢植えのふたり静は、香弥が世話をしないと枯れてしまう——母はそう言って、懸命に香弥に、否、てまりさんに、出ていかないでくれ、と縋ったのです。私のせいで士分を離れ、馴染みのない江戸で庶民として生きねばならなかった母にとって、香弥とともに鉢植えのふたり静を育てることこそが生きる縁だったに違いないのです」

振り払われても諦めず、香弥の名を呼んで布団を這い出し、勢い余って倒れた衝立の下敷きになった。それでも香弥を求める姿に、てまりは折れた。来年、ふたり静の花が咲くまでここに置いてください、と与一郎に手をついて頼み込んだという。

「ふたり静はもともと、亡くなった妻、香弥が好んだ花なのです。私たち夫婦は子宝に恵まれなかったので、その寂しさを花を育てることで埋めていたのかも知れません。まだ私が国許《くにもと》で藩主に仕えていた頃のことですが……。今あるふたり静も、もとは香弥が育てた一株を、母が株分けして増やしたものです」

与一郎は眩《まぶ》しそうに天を仰いで、溜息とも吐息ともつかぬものを洩らした。

「てまりさんを引き留めたあと、母は風邪をこじらせてしまい、今もあまり良くないのです。医者の見立てでは、もとの心の臓の病もあり、このままでは春まで持たないだろう、と。あの娘がそれまで母の傍に居てくれるのは、ありがたい」

与一郎の「ありがたい」という台詞に、お縁は眉間に深い皺を寄せた。

てまりは、ただ便利に使われているだけではないのか、との疑惑が首を擡《もた》げる。

――このまま知らん顔で、香弥と呼ばれて、旦那さんの傍に居ることはできないよ、そんなこと、あたしにはできない

静かに、しかしきっぱりと語ったてまりの声が、お縁の耳に切なく木霊する。

この男は、てまりの気持ちにまるで気付いていないのか。

「差し出口とは存じますが」

声が尖るのが、自分でもわかった。

「あなたは、てまりさんを後添いに迎えようとは思われないのですか？」

言ってしまった傍から、お縁は虚しくなる。

お縁自身も生まれは武家、侍がどれほど体面を重んじるか知っていたはずだった。

武士でなければ父も妻敵討《めがたきう》ちなどで人生を棒に振る必要もなかったのだ。長く士分に馴染んだ者が、岡場所の抱え女郎を正式な妻に迎えるなど、思いもよらぬことだろう。

「それは……」

案の定、与一郎は口籠《くちごも》った。

ちっ、と舌打ちに似た鳴き声が、白樫の高い枝から聞こえる。唇を引き結び、険しい表情を見せるお縁に、違う違う、と言いたげに与一郎は首を振ってみせた。

「この前、青泉寺からの帰り道、私はあの娘を背負い通すことができなかった。情けない話ですが、よろける私を見かねて、娘は自分から私の背を下りて歩いてくれた。若い頃なら苦もなかったことが、今はもう無理だ。私はすでに老いを迎えた身です」

冬の陽が慈悲の光を注ぎ、数珠師の総髪に混じる白いものを美しい銀色に輝かせている。与一郎はぐっと息を呑み込んで、さらに続けた。

「士分を捨てて二十余年、武士の体面も世の覚えも、今の私にはどうでも良いことです。ただ、てまりさんを――あの娘を最後まで守り抜く気力も自信もないのですよ。辛酸を舐め尽くして生きてきたひとだ、本当に素晴らしい娘です。幸せになって然《しか》るべきですが、私では無理なのです」

春を鬻いでいた過去など障壁ではない、という毅然《きぜん》とした思いと、てまりへのやるせない思慕とが、言下に溢れていた。

てまりを最後まで守り抜く気力も自信もない、という与一郎の台詞を、お縁は胸の内で反芻《はんすう》する。果たして気力や自信を持てないことの根底に横たわるのは、「老い」という事実だけだろうか。

世間からすれば、与一郎の年回りで後添いを迎えても何の不思議もない。老いは言い訳に過ぎないのではないか、とお縁はじっと考え込む。

そもそも、何故、与一郎は自ら士分を捨てたのだろう。富路は、何故、慣れない暮らしの中でふたり静の栽培だけを心の拠《よ》り所としていたのだろうか。根本には、亡き香弥との間で切っても切れない、何か重い事情が潜んでいるのではないか。そこに思い至って、お縁は顔を上げて与一郎を見た。

口を開こうとした、まさにその刹那だった。

「旦那さん、旦那さん、何処ですか」

遠くで悲鳴に似た声がしている。てまりの声に違いなかった。

「富路様が、富路様の様子が」

待ったなしの叫び声に、お縁と与一郎は先を競って稲荷社を飛び出した。

「医者は俺が呼んでくるから、あんたはお母さんの傍《つか》についててやんな」

与一郎とお縁がもつれる足で戻れば、隣りの住人らしい男が、早口で言って路地を走り抜けて行った。慌てて中へと駆け上がる与一郎のあとに続いて、お縁は初めて衝立の奥の部屋へと入った。

仕事場と大差ない簡素な板張りに、二枚だけ置かれた畳。薄い粗末な布団の上で、てまりに抱かれた老女が、胸を押さえて煩悶《はんもん》している。

顔色はすでに土色で、吐く息は浅い。頭を反らせ、息をする度に下顎《したあご》があえぐように動くのを見れば、臨終の刻がさほど遠くないことが察せられた。

「母上」

与一郎はてまりの脇へ腰を落とし、母親を抱き留めようとした。

てまりが離れるのを察した富路が、薄れる意識を引き戻して、娘の腕にしがみつく。

香弥、香弥、と呼ぶその目はすでに焦点を失っていた。

「香弥、香弥」

「ここにおります」

てまりは震える声で応じて、富路を何とか布団に戻した。

与一郎に面差しの似た老女は、その瘦《や》せた右腕を空に差し伸べる仕草を示した。

「香弥、何処に、いるのです」

求めて果たせず、虚しく布団の上へと落ちるその富路の右手を、てまりが捉《とら》えた。

「ここです、母様、香弥はここに居ります」

てまりにしっかりと手を握られて、老女は、ああ香弥、と呻いた。

「許しておくれ、香弥。与一郎のことを、どうか、どうか許しておくれ」

どうあっても詫びを伝えなければ、との強い意思が、今わの際の富路に最後の力を与えているようだった。楽ではない息の合間に、富路は懸命に声を振り絞る。

「香弥、与一郎がお前さまのお父上を斬《き》ったのは、藩命だったのです。お父上に謀反の疑ありとして、密《ひそ》かにこれを討て、と。藩命に逆らうことなど、どうしてできましょう。どうか、後生だから、与一郎を責めないでやっておくれ」

富路の言葉に、てまりとお縁は思わず互いの目を見合わせた。ふたりは揃って与一郎に視線を向けたが、数珠師は苦しげに顔を歪めるばかりだ。

そこにどのような事情が横たわるかはわからない。だが、与一郎が香弥の父親を藩命に従って斬り捨てたのだとしたら、残された香弥はどうなったのか。

父親を殺したその敵が、我が夫になるのだとしたら。

香弥は、と与一郎は結んでいた唇を解いた。

「香弥は父親の弔いを済ませた夜、自刃して果てました。恨み言ひとつ口にせず、私を責めることもせず」

くう、と妙な音で与一郎の喉《のど》が鳴り、それはそのまま嗚咽《おえつ》となった。

——士分を捨てて二十余年
与一郎の言葉を、お縁は思い返していた。

藩命を守ったものの、喪《うしな》った命は帰らない。妻の自刃が全《すべ》てを虚しくさせ、士分を捨てることを決意させたのだろう。当時の香弥は、おそらく、今のてまりほどの若さのはず。与一郎も富路も、若いてまりに香弥を重ね、心の中で詫び続けていたに違いない。義父を手に掛け、妻を死に追い遣った与一郎の苦悩、それを知る富路の悲痛が、お縁の胸に迫った。てまりの双眸《そうぼう》にも、薄く涙が膜を張る。

香弥、許しておくれ、と富路は満身の力を振り絞り、てまりの手に自分の左手を重ねた。てまりはその手にそっと頬を寄せる。てまりの両の瞳から、大粒の涙が零れて、富路の手を濡らした。隣室から、亡き香弥のために焚かれている白檀の香の芳しい薫りが訪れて、臨終に向かう老女とそれを見守る者たちを包み込む。

母様、と小さく呼んで、てまりは老女の手に優しく柔らかな頬ずりを繰り返す。

それは不思議な光景だった。香弥の魂がてまりに移り、富路に請われるまま許しを与えているように、お縁の目には映った。

富路はほっとしたように細く息を吐き、目を閉じた。目尻から溢れた涙が、刻まれた皺に沿ってゆっくりと流れて、蟀谷《こめかみ》を滑り落ちる。

老女富路の苦渋に満ちた人生は、こうして静かに幕を閉じたのだった。

夕方から、一刻（約二時間）、雪になった。この冬、江戸を訪れる初めての雪だった。

初雪とて容赦はなく、牡丹の花弁に似たものが天から真《ま》っ直《す》ぐに落ちて、瞬《また》く間に地を白銀に変えた。ただ、幸いなことに、そのあと雪はぴたりと止《や》み、天を覆っていた雪雲も素直に去ってくれた。

漆黒の闇の中で、積雪の放つ色が仄明るく周囲を照らしていた。

雪景色の中を、お縁は提灯《ちょうちん》を手に歩く。お縁に先導されて、戸板を手にした男が四人。ひとりは与一郎、あとは連絡を受けて駆け付けた青泉寺の毛坊主たちだった。戸板の上、粗末な夜着をかけられているのは、富路の亡骸である。列の最後は、同じく提灯を持ったてまりが守った。

誰も口を利かない。ただ、擦れ違うひとが亡骸に気付いて、道を譲り手を合わせた。

満天の星々が瞬く下、一行は青泉寺の通夜堂を目指す。

吐く息は白く凍り、斜めに流れて天へと昇っていく。見送り坂に差し掛かった時、寺門に明かりが見えた。正念の掲げる明かりに違いなかった。

「結局、正念さまは明け方まで通夜堂につめておられたようだぜ」

朝、お縁が庫裏に足を向けると、中から市次の声が洩れ聞こえた。飯の炊ける良い香りも漂っている。

「物言いやら振る舞いからすりゃあ、喪主はもとは侍だろうよ。正念さまに色々打ち明けたいことがあったんじゃねぇのか。ありゃあ多分、脱藩者じゃあねぇかなあ」

三太が言えば、

「俺たちは新仏を弔うことだけ考えてりゃあ良いんだ。ひとさまの事情に、いちいち首を突っ込むこたぁない」

と、仁平が生真面目に応える。

与一郎の希望で、青泉寺の通夜堂で夜伽をすることになったが、新仏に付き添うのは与一郎に任せて、お縁はてまりとともに隣室に退き、夜を徹して富路に着せるべき帷子を縫いにかかった。

作法通り糸の端を結ばず、ひと針、ひと針、弔いの心を込めて縫い上げる。かがり屋の抱え遊女だった頃は裁縫など決してすることのなかったてまりだが、富路の手ほどきが上手だったのだろう、針を手にしても少しも危うげなところはなかった。

ふたりが縫い物をする間中、隣りの部屋から与一郎と正念の話し声が続いていた。ひとり夜伽をする与一郎の慰めになれば、と同席したであろう正念に、与一郎はあれこれと話を聞いてもらっている様子だった。

――義父は跡目争いに巻き込まれ、恨みを買って、謀反の疑いをかけられたのです。全くの濡れ衣でしたが、私は藩命に逆らえなかった

――母を連れて出家するわけにもいかず、けれど亡き妻の供養になることを、とその一念で数珠師に教えを請い、数珠を作るようになりました

切れ切れに聞こえていた与一郎の声を、お縁は思い出していた。

庫裏の引き戸に伸ばしかけた腕をすっと戻して、お縁は通夜堂へと目を向ける。誰かに打ち明けることで、心の重荷が取れることもある。与一郎さんもそうでありますように、とお縁は心の中で手を合わせ祈った。

昨夜の雪は青泉寺の庭にも薄く綿を置いていたが、陽の恵みが初雪を跡形もなく溶かし去り、しっとりと柔らかな土色に戻した。連日の寒さも和らぎ、長閑《のど》やかで温かな慈悲の陽射しが一帯に注いでいた。

南無阿弥陀仏
南無阿弥陀仏
正真の読経の流れる中、湯灌場では先刻より、正念とお縁の手で、富路の湯灌が行われている。遺族の席には与一郎とてまりが座し、じっと様子を見守った。

風邪をこじらせる前、心の臓を病んでいた、と聞くが、幸いにも浮腫《ふしゅ》は見られない。また、髪も綺麗に梳《す》いてあり、手足の爪も丁寧に切り揃えてあることから、てまりがよく尽くしていたことが窺《うかが》えた。

嫁の香弥の自死が、富路の人生にどれほど暗い影を落としたことだろうか。国許を離れ、士分を離れ二十余年、決して安逸な暮らしではなかったはずだ。子宝に恵まれなかった香弥が慈しみ育てていたふたり静を、香弥に代わって大事に育てて増やすことだけが心の支えだったのは、まさにそうした理由だろう。

詫びながら逝った老女の苦悩を思い、慈しむ手つきでお縁は新仏を洗い清める。それを見守る与一郎の目にも、そしててまりの瞳にも涙が浮かんだ。

「帷子を着せて差し上げてくださいませ」

お縁に言われて、与一郎は助けを求めるようにてまりを見た。

てまりは傍らに置いた帷子を手にし、与一郎を促して立ち上がる。

昨夜、お縁と一緒に縫い上げた純白の帷子を広げて、てまりは与一郎とともにその袖に富路の腕を通した。真新しい帷子を身に付けて、富路は何処となく恥らっているように見えた。

あとを引き受けたお縁は、富路の髪を柘植の櫛で丁寧に梳《けず》り、頬に綿を含ませてふっくらとさせた。さらには、頬と瞼、それに唇、それぞれに濃淡の紅を差す。

「ああ……」

仕度を整えた富路を見つめて、与一郎とてまりは揃って感嘆の声を洩らした。そこには俗世の苦悩から解き放たれて、ただ穏やかに眠っているような富路の姿があった。

与一郎は懐から数珠を取り出して、それを母の合掌した手に持たせた。菩提樹《ぼだいじゅ》の実を用いた二輪の数珠には富路に似合う薄紫の房がついている。息子から贈られた数珠を手にした富路は、何処となく安堵して見えた。

「あの、これを」

てまりが懐に手を入れて、畳んだ懐紙を取り出した。それを開いて、中を示す。

「これを一緒に持たせてあげたいんです」

土の中から掘り出したらしい、植物の根のようだった。

「これは？」

正念が首を捻る。

ああ、とお縁の口をついて声が出た。

「ふたり静ね、てまりさん」

富路が大切に育てていたふたり静を一株、根から抜いて持ってきたのだろう。

こっくりと頷いて、てまりは応える。

「極楽浄土に、香弥さんのもとに、これを持って行ってもらいたいんだよ。お浄土ならきっと咲いてくれる。香弥さんの残したふたり静を育てて決して絶えないように努めた母様のこと、香弥さんもきっとわかってくれると思うんだ」

与一郎は堪らず口を押さえて嗚咽を堪えた。


それまで息をし、話し、笑い、温《ぬく》もりのあった身体を、死は物言わぬ冷たい骸《むくろ》へと変える。あとに遺された者にとって認め難い死ではあるけれど、まだ熱い骨を骨壺に納め、胸に抱く頃には、どの遺族もその死を受け容れた表情になる。悲しみは去らずとも、未練の断ちどころを得た思いになるのだろう。

「色々と本当にありがとうございました」

正念とお縁とに送られて寺門を去る時、与一郎とてまりは、揃って深く頭を下げた。まだ目は赤いものの、ふたりとも落ち着いた顔つきになっていた。

てまりさん、と正念は娘を呼んで、

「与一郎さんを頼みますよ。おそらく、亡くなられたかたも、心からそれを望んでおられるでしょう」

と、物柔らかに告げた。

「正念さま、一体何を仰《おっしゃ》るのか」

正念の言葉に与一郎はひどく狼狽し、あたふたと逃げるように背を向けて見送り坂を下り始めた。

てまりは正念の目を見て、はい、と応える。そして正念とお縁にもう一度、丁寧にお辞儀をすると、与一郎のあとを追った。

雪どけの湿った土の坂道を、てまりが弾む足取りで下っていく。

――あの娘を最後まで守り抜く気力も自信もないのですよ
お縁は、気弱そうに話していた与一郎の言葉を思い返す。

てまりなら、とお縁は友の後ろ姿に温かな眼差しを注ぐ。

てまりならば、与一郎に守られずとも、己の身はきっと己で守る。与一郎の背に乗って運ばれることを望まず、ともに手を携えて歩いて行く生き方を選ぶだろう。

もしかすると、与一郎さんのことを背負いかねないわ。

そう思うと、ふふっと円《まど》やかな笑いが込み上げてきた。

見送り坂半ばで、てまりは与一郎に追いついた。ふたりは揃って後ろを振り返る。

寄り添うふたりの姿が、お縁の目には初夏に咲くふたり静の花のように映った。

ひとりよりもふたりの方が賑やかで良い。草花も、それにひとも——いつぞやの与一郎の言葉を、お縁はふたりの姿に重ね合わせた。

青葉風

霞《かすみ》たなびく空に、ぴゅるる、ぴゅるる、と雲雀《ひばり》の上機嫌な囀《さえず》りが響いている。陽射《ひざ》しは温かく、梅香は甘く漂い、まさに春爛漫《らんまん》であった。お縁は箒《ほうき》を動かす手を止め、目を細めて天を仰いだ。文化四年(一八〇七年)、彼岸の中日である。

「良いお天気だこと」

年明けからこれまで、穏やかな日和が続いていた。それは天の恵みにも似て、病人や年寄りを死から遠ざける。雨の少ないのが気になるものの、お縁は春空に感謝の眼《まな》差《ざ》しを送った。

ここ数日、青泉寺の火屋《ひや》から煙は上がらず、お縁も湯灌《ゆかん》場《ば》に立っていない。ただ、彼岸に入ってからは、青泉寺の墓所へ参る遺族が絶えず、寺門を潜《くぐ》る者の数は常よりも多いほどだった。門の手前にある大楠《おおくす》が例年に比べ早く葉を落とし始めたのを気にして、お縁は日に幾度も辺りを掃き清めていた。

またひとり、寺門を潜るひとが居て、お縁は箒を手にしたまま、ゆっくりと一礼する。相手が過ぎ去るまでその姿勢でいるつもりが、玉砂利の鳴る音がしない。訝《いぶか》しく思い、顔を上げれば、寺門を入ったところに佇《たたず》む男を認めた。

ひと目見て、お縁は息を呑《の》む。

年の頃は三十六、七あたりか。柔和な面立ちに、強い意志の宿る双眸《そうぼう》。上品な利休《りきゅう》鼠《ねず》の着物に生壁色《なまかべいろ》の羽織姿。その色違いの結城紬《ゆうきつむぎ》に見覚えがあった。また、大店《おおだな》の主《あるじ》然とした風貌《ふうぼう》にも記憶の中に重なるものがある。手にした甚三紅《じんざもみ》の風呂敷には、確かに「桜花堂」の文字が染め抜かれてあった。

ふたりは互いを暫《しば》し見つめ、会わずに過ごした歳月を思いやった。

「お縁さんだね？」

先に動いたのは男の方だった。懐かしげにお縁の名を呼んで、玉砂利を踏みしめる。

「すっかり大人になって。見違えてしまいましたよ」

どう接したら良いのか、という躊躇《ためら》いは、その温かなひと言で削《そ》がれた。

「仙太郎《せんたろう》さん、ご無沙汰《ぶさた》しています」

お縁は箒を傍らへ置き、両の手を膝《ひざ》の前で揃《そろ》えて、歩み寄る仙太郎を丁重に迎えた。

小柄なお縁の前に立つと、仙太郎は感慨深い様子で、しみじみと語りかけた。

「最後に会ったのは父が亡くなった時だったから、もう七年、経《た》つんだねぇ。月日が流れるのは本当に早いものです」

その昔、お縁を養女に、と望んでくれたのが桜花堂の主の佐平で、仙太郎はその息子だった。のちにお縁の実母と知れたお香は佐平の後添いで、仙太郎にとって継母に当たる。

桜花堂へ行儀見習いに通っていた時、親しく言葉を交わす機会は少なかったが、会えばいつもにこやかな笑顔をみせる仙太郎だった。仮に養女の話が整っていれば、兄妹となったはずのふたりだった。

お縁と仙太郎は、互いの表情の中に懐旧の念を読み取っていた。

「昨年の大火で大変な思いをされたのでは、と案じておりましたが、日々のことに追われて、何のお伺いもしませんでした」

申し訳ありません、とお縁が深く頭を下げれば、いやいや、と仙太郎は軽く手を振って応える。

「幸い、店の者は皆無事でしたし、先日、建て直しも終えました。今月のうちには、日本橋へ戻る予定です」

お蔭《かげ》さまで内藤新宿での商いが順調だったもので、と仙太郎はにこやかに笑う。

良かった、とお縁はほっと息を吐いた。

「今日は、どなたかをお詣《まい》りですか？」

桜花堂の菩提寺《ぼだいじ》は内藤新宿にある。ここ青泉寺へは、日本橋に引き上げる前に、知り合いの墓参に訪れたのではないか――お縁はそう推測し、控えめに尋ねた。

これはいけない、と仙太郎は照れた風に頭に手を遣《や》る。

「懐かしさのあまり、お縁さんと話し込んでしまうところでした」

笑って言ったあと表情を改めて、ご住職さまは居られますか、とお縁に問うた。

彼岸の間は、通夜堂も本堂も開放していることもあり、落ち着いて話もできない。住職の正真はそう思ってか、仙太郎を庫裏《くり》の隣室に通すよう、お縁に命じた。

従是西方《じゅうぜさいほう》　過十萬億佛土《かじゅうまんのくぶつど》

有世界《うせかい》　名曰極楽《みょうわつごくらく》　其土有佛《ごどうぶつ》

本堂から、「阿弥陀経《あみだきょう》」の中の、西の彼方《かなた》に存する極楽について説くくだりが、厳《おごそ》かに響いていた。正念の読経に、仙太郎はじっと耳を傾ける。

「良いお声ですねぇ」

茶を運んできたお縁に、仙太郎は感嘆の声を洩《も》らした。

「もしや、父の時にお世話になった僧侶《そうりょ》のかたでしょうか？」

仙太郎の問いに、ええ、とお縁は答えた。やはり、と仙太郎は頷《うなず》き、

「私よりひとつ、ふたつ上のように覚えていますが、さぞかし修行を重ね、功徳を積まれたのでしょう、慈愛に満ちた声になられた」

と、告げた。

茶を勧めて、お縁は仙太郎に詫《わ》びる。

「今少しお待ち頂くように、と住職から言付かっております」

頭を下げるお縁に、幾らでもお待ちします、と仙太郎は控えめに伝える。

「彼岸の中日、というお忙しい最中《さなか》に会って頂けるだけで充分です。ただ」

一旦《いったん》、言葉を区切ると、男はお縁の顔をじっと見て、こう続けた。

「住職さまとの話には、お縁さんにも同席をお願いしたいのです。これはあなたに関《かか》わることでもありますからね」

「私に？」

思いがけない仙太郎の言葉に、お縁は戸惑いを隠せなかった。

「すると、正縁を……」

一刻《いっとき》ほどして顔を見せた正真は、仙太郎の話を聞き終わると、徐《おもむろ》に唇を解いた。

「正縁を暫《しばら》く日本橋の桜花堂で預かりたい、と？」

住職の問いかけに、ええ、と仙太郎は頷き、畳に両手をついた。

「日本橋の店が焼けて、建て直す間、内藤新宿の店に家内のお染《そめ》と一緒に身を寄せておりましたが、母とお染の反りが悪く……。『嫁と姑《しゅうとめ》、犬と猿』などと諺《ことわざ》にございますが、互いに頑固で譲り合いませんから、毎日が戦なのです」

日本橋の店を再開させるにあたり、内藤新宿の店を畳むこととした。仙太郎とお染、お香の三人で以後は日本橋の店で同居するのだが、今から暗雲が垂れ込めている状態なのだという。せめてお縁が加わることで、家の中の雰囲気が柔らかいものになるのでは、と仙太郎は考えたのだ。

「それは……幾らなんでも……」

受けられる話ではない、とお縁は困惑した眼差しを正真へと向ける。

しかし、正真は両眼《め》を閉じ、沈思して身動《みじろ》ぎひとつしない。仏像さながらに動かない正真に焦《じ》れたのか、仙太郎はじりじりと膝行《しっこう》する。

「お縁さん、いえ、正縁さんは三昧聖《さんまいひじり》とはいえ、未《いま》だ正式な出家はなさっていない、と伺っています。それならば、少しの間なりとも、実の母親とともに暮らすことは許されても良いのではありませんか？」

仙太郎の最後の台詞《せりふ》に、お縁は驚いて肩を引き、正真ははっと両の眼を見開いた。

「仙太郎さん、そのこと……」

お香がお縁の実母、という事実は、ごく限られた者しか知らないはずだった。お縁は怯《おび》えた眼差しを仙太郎へと向けた。仙太郎は深々と頷いてみせる。

「母が昔は『登勢』という名だったことも、聞いています」

佐平が他界して数年後、風邪を拗《こじ》らせて寝込んだお香は、死期が近いと思ったのか、仙太郎を枕もとに呼んで、洗い浚《ざら》い、過去にあったことを打ち明けたのだという。

「自分亡きあと、もしもお縁さんが何か窮地に立たされるようなことになったら、桜花堂として手を差し伸べてやってくれまいか、と。その幸せを自分の代わりに見届けてくれまいか、と切々と懇願されました。元気になってからは二度とお縁さんの名は口にしませんが、あの時の母の言葉を忘れたことはありません」

死を覚悟したお香の言葉が、お縁を呼んでくれ、ではなかったことがお縁には切ない。娘に合わせる顔がない、と思ってのことだろう。自分が亡くなったあと、お縁のことを仙太郎に託したお香の気持ちに、お縁は胸を突かれた。

「私がお縁さんを日本橋の店に迎えたい理由は、嫁姑の不仲を和らげるためが一番なのですが、たとえば半年だけでも『実の子と暮らす』という体験を母に贈りたい、との思いもあるのです。血の繋《つな》がりこそありませんが、お香さんは私にとって大事な母。それに、父を支え、桜花堂を盛り立ててくれた恩人でもあるのです」

何とぞ聞き届けては頂けませんか、と仙太郎は正真に迫る。

俯《うつむ》いている娘に視線を送って、正真はゆっくりと口を開いた。

「正縁、仙太郎さんの願いを聞き届けて差し上げなさい」

「えっ」

驚きのあまり、お縁は畳に片手をついて、崩れかけた姿勢を辛うじて堪《こら》えた。

「正真さま、それは一体」

言い募ろうとする弟子を開いた掌《てのひら》で制して、まあお聞き、と師は穏やかに続ける。

「私は常々、僧籍にある者もそうでない者も、世の中について広く見聞きすることが大切だと考えている。正縁にも同じく、視野を広げる生き方をしてほしいと願っているのだ。束《つか》の間、青泉寺を離れて俗世に身を置くことで、色々と学ぶことも多かろう。その間、桜花堂で暮らすのならば、私とて何も案じまい」

師の立場にあるひとの言葉は重く、お縁は抗《あらが》うことができない。

「正真さま」

襖《ふすま》の向こうから市次の声が聞こえたのを機に、正真は丁寧に仙太郎に退座を詫びて、立ち上がった。それを折りに、仙太郎も腰を上げる。

「では、お縁さん、私どもの引き移りが終わり、商いを再開させた頃、使いを寄越します」

お縁に寺門まで送られて、仙太郎は上機嫌で念を押した。

「日本橋でお待ちしていますからね」

はからずも日本橋の桜花堂で暫く暮らすことが決まってしまい、お縁は困惑したまま、見送り坂を下っていく仙太郎の背中を眺めていた。

青泉寺の境内は黄昏色《たそがれいろ》に染まり、墓参の客も途絶えて、慌ただしかった彼岸の中日も無事に終わろうとしていた。庫裏では、板敷に置かれた菓子鉢を前に、市次、仁平、三太がそれぞれ先刻からずっと黙り込んでいる。お縁もまた、居心地悪く、身を縮めていた。

菓子鉢の中身の桜最中は、仙太郎がお供えとして持参したものだった。

桜花堂の名物、桜最中は小振りで食べ易《やす》く、しかも桜葉の爽《さわ》やかな香りが大人気の品だった。青泉寺では、お縁はもとより、皆の大好物でもあるのだが、今はその菓子に手を伸ばそうとする者は居ない。

何てこった、とまず市次が呻《うめ》いた。

「桜花堂の女将《おかみ》は訳ありだと思っていたが、お縁坊の実のお母さんだったとは……」

「けど、それなら店主の弔《つか》いの場で、正縁が仏説孝子経《ぶっせつこうしきょう》を唱えた時に、あれほど泣き崩れた理由もわかる」

首を振り振り、仁平はそう呟《つぶや》いた。

「済みません、今まで話せなくて」

身を縮めるお縁に、三太はわざとぶっきら棒に、

「話せなくて当たり前だぜ。それに話す必要も無ぇや」

と言って、桜最中に手を伸ばした。

ぱりぱり、と薄い皮を嚙《か》み砕く音がして、それに釣られるように、市次と仁平も桜最中を手に取った。

「正縁、俺ぁ、桜花堂へ行ったら、そのままそっちで暮らす方が良い、と思うぜ」

仁平が苦そうに菓子を食べながら、ぼそりと告げる。

そうとも、と三太も頷いた。

「『三昧聖の正縁』ではなく『桜花堂のお縁』として生きた方が良いに決まってらぁ」

三太の台詞に、そんな、とお縁は絶句する。

意思とは関係なく小刻みに身体が震え始めた。青泉寺に居場所がなくなる、とは思いたくはなかった。

そんなお縁を見やって、三太はぼそりと言葉を足す。

「仕方ないだろうよ。桜花堂の女将は正縁の実のお母さんなんだ。正真さまにしたって、そのお心づもりだろうし」

「三太、お前が正真さまのお考えを語るのは百年早い」

三太を制して、市次は震えの止まらない様子のお縁に向き直った。

「お縁坊は俺たちと同じ毛坊主《けぼうず》の立場だ、親との縁は大事にしなきゃならねぇよ。極悪非道の親なら遠ざける理由にもなるが、桜花堂の女将は心根の温かいひとじゃないか。自分を捨てた親と巡《めぐ》り逢う、というのもきっと意味がある」

「意味?」

揺れる声で、お縁は市次の言葉を繰り返す。

「どんな意味があると言うの、市次さん」

「若い時にはわからなかったが、俺はこの齢《とし》になって、我が身に起こることにはちゃんと意味があるなあ、と思うようになったのさ。たとえ望ましくない事態だったとしても、そこに身を置くことで、見えてくるものはきっとある。お縁坊はそれを自分の目で確かめたらどうだい？」

桜花堂に残るか、青泉寺に戻るか、決めるのは今じゃなくて良いだろう、と市次は言い添えた。

市次の言葉はお縁の胸にすとんと落ちた。自分を捨てた母親に巡り逢う意味を、暫くの間、ともに暮らすことで探りたい、と思うことができた。

江戸の中心にあって、各地の里程の基点となるのが、日本橋である。擬宝珠《ぎぼし》で飾られた欄干を有する白木の橋は、長さおよそ三十八間（約六十八メートル）、幅およそ四間半（約八メートル）。この国の名を背負うに相応《ふさわ》しく、華麗で美しい。昨年の大火で焼失したが、同じ形のものが架け替えられた。その真新しい優美な橋を、お縁はゆっくりと渡った。

橋下を流れる日本橋川は隅田川と合流し、やがて海へと注ぐ。その流れを遡《さかのぼ》って、全国各地から船を使い、様々な物資が江戸に運ばれるのだ。今も、鮮魚を積んだ押送《おしおくり》舟《ぶね》や、荷で満載の小舟の群れが橋下を行く。片や橋上は、着飾った町娘、荷を背負った商人や道具を担いだ大工、二本挿《ざ》しに僧侶、と多彩なひとびとの往来があった。内藤新宿の雑然とした賑《にぎ》わいとはまた異なり、晴れがましく煌《きら》びやかな光景だった。一帯が焦土と化したのは昨年弥生《やよい》。丁度一年が過ぎた今、橋から四方を眺めれば、普請中のものも含めて、木の香の漂う新しい街並みが整いつつあった。

「こちらですよ」

先に立って歩いていた桜花堂の大番頭、忠七《ちゅうしち》がお縁を振り返り、南を指し示す。

いつぞやお香とお縁とを引き合わせるきっかけを作った忠七は、髪に霜を置く齢になった今も、桜花堂での奉公を続けている。出会った当初は横柄な印象が強かったが、今はお縁を気遣い、青泉寺まで迎えにいく役を買って出てくれたのだった。

高札場と青物市場の間をすり抜けて、日本橋通りを暫く行くと、右に折れる。桜花堂の日本橋店は上槙町《かみまきちょう》の一角にあった。

「日本橋通りには近江《おうみ》や京の江戸店《えどだな》が軒を並べていましてね。この辺りは四丁目まである日本橋通りの一番端なんですが、常客への手土産に桜花堂の最中を買ってもらえるから、と亡くなられた旦那さまがこの場所を選ばれたのですよ」

そう話して目を瞬《しばた》かせたあと、忠七は、声を低める。

「内藤新宿に身を寄せていた時はまだ少しは遠慮があったのでしょう、お染さんも幾分大人しかったのですよ。けれど、この度はこちらで同居ですから、お染さんの女将さんに対する態度も日に日に刺々《とげとげ》しくなるようで、私ども奉公人も、胃の腑《ふ》の痛む思いなのです」

忠七の言葉を聞いて、なるほど、仙太郎が自分を呼び寄せたのは、辛《つら》い立場に置かれるお香への配慮もあってのことなのだ、とお縁は改めて理解した。

「あの店ですよ」

忠七の指差す先に、間口三間半（約六・四メートル）ほどの瓦葺真壁《かわらぶきしんかべ》造りの二階家があった。周囲の土蔵造りの商家ほど重厚な店ではないが、それが却《かえ》って慎ましやかで好ましい。「桜花堂」の三文字を染め抜いた甚三紅の暖簾《のれん》を捲《まく》って、お客の出入りが頻繁にあるのも頼もしかった。

お客を見送りに出た小僧が、こちらに気付いたのだろう、慌てて暖簾の向こうに姿を消した。それと入れ違うように、中から飛び出してきた者が居た。

もともと白いものが目立っていた髪だが、今は銀の中に僅《わず》かに黒髪が混じるのみ。そのさまを見れば、連れ合いを喪《うしな》ったあとの七年がどれほどの苦労だったたか、容易に偲《しの》ばれる。鶯色《うぐいすいろ》の紬地の綿入れもまた、余計に年老いて映った。ただ、厚みのない長身と姿勢の良さだけは以前と少しも変わらない。

お香、そのひとだった。

お縁を認めた刹那《せつな》、泣きだしそうに顔を歪《ゆが》めたが、唇を固く結んでぐっと堪える。

ふたりは互いを見つめ、どちらからともなく歩み寄った。

「女将さん」

お縁はお香をそう呼んで、ご無沙汰しています、と丁寧に頭を下げる。

最後に会った時に実母との告白を受けたが、態度を変えずにいよう。行儀見習いに通っていたあの楽しい日々に戻れば良い――お縁は老け込んだお香を見て、咄嗟《とっさ》に心を決めた。

「暫くの間、ご厄介になります」

お縁の温かな眼差しを受け止めると、お香は何かを言おうとして、留《とど》まる。結んだ唇を解きかけて、また留まった。幾度かそんな仕草を繰り返し、漸《ようや》く、右手を差し出して、お縁の粗末な藍木綿の袖をそっと摑《つか》んだ。縮緬皺《ちりめんじわ》の寄った目尻に、涙が珠《たま》を作っていた。

「いい加減になさい。この店の女将は、あのひとじゃなくて私ですよ」

お香に案内されて中座敷に続く廊下を歩いている時、台所からだろうか、誰かを叱《しっ》責《せき》する声が響いてきた。

「旦那さまも旦那さまだわ。血の繋がりもない女を、あそこまでのさばらせて。おまけに今度は、得体の知れない屍洗《かばね》いまで引き込むだなんて」

聞こえよがしに放たれた声に、お香は足を止めて振り返った。眉間《みけん》に深い皺が刻まれている。お縁に対する侮蔑《ぶべつ》の言葉を聞き捨てならない、と思ったのだろう。声のする方へ戻ろうとするお香を、お縁は優しく引き留める。

「女将さん、亡くなられた旦那さまにご挨拶《あいさつ》をさせてくださいな」

気にしていない、というお縁の気持ちを察してか、そうだったね、とお香は頷いた。

一階の東側、庭に面した八畳ほどの仏間は、仏壇を拝めば自然と西に向かって合掌するよう作られていた。位牌を前に、お縁は懐から数珠を取り出すと懇ろに拝んだ。

「七年になるんだねぇ」

お縁の隣りで手を合わせていたお香は、位牌に目をやって独り言のように呟く。

「七年経っても、慣れないもんだね」

深々と、寂しさが降り積もる口調だった。

お縁は黙って、そっと目を伏せる。三昧聖と呼ばれ、数えきれないほど多くの遺族と接してきたけれども、死別の悲しみや寂しさを癒す言葉をお縁は持たない。時の流れが悲しみを少しずつ剝《は》いでいくことを信じるしかない。

お母さん、と襖の外から声がかけられた。

「失礼して、入らせて頂きますよ」

襖を開いて、仙太郎が顔を覗《のぞ》かせた。その背後に、お染が憮然《ぶぜん》とした表情で控えている。二重瞼《まぶた》の大きな瞳《ひとみ》、少し丸い鼻、小さな顎《あご》、と愛敬のある顔立ちなのだが、苛立《いらだ》ちが表情や態度に如実に表れていた。七年前の容姿を失念していたお縁は、こんなひとだったのか、とお染の針の潜む眼差しを静かに甘受した。

「お縁さん、いらっしゃい」

仙太郎は言って、ゆっくりとお縁の手前に座った。

「下落合からここまでご足労をかけましたね。今日から宜《よろ》しくお願いしますよ」

「こちらこそ、どうぞ宜しくお願いします」

お縁は仙太郎とその女房に、畳に手をついて丁重に挨拶をした。

お縁さん、と呼びかけて、仙太郎はほろりと笑う。

「済みません、ついつい昔の癖で『お縁さん』と呼んでしまう。『正縁さん』だと何だか違うひとのようでね。どうでしょうか、ひとつご相談なのですが、ここに居る間は以前のように『お縁さん』と呼ばせて頂けませんか？」

そう言えば、お香はまだお縁の名を呼んでいない。お縁か正縁か、どちらで呼ぶべきか迷いがあるからではないか。仙太郎の言葉を機にお縁はそのことに気付いた。

――坊主といるようで落ち着かん。俗名《ぞくみょう》は何と言った？

定廻《じょうまわ》り同心、新藤松乃輔《しんどうまつのすけ》の声が耳もとに聞こえて、ああそうだった、と思い出す。てまりが殺しの濡《ぬ》れ衣《ぎぬ》を着せられかけた時に出会った新藤は、正縁を俗名のお縁と呼ぶことに躊躇《ためら》いがなかった。

青泉寺を離れている間は、俗名でも構わない。お縁はごく自然に心を定めた。

「構いません、どうぞそのようにお呼びくださいませ」

「良かった。では、そうさせてもらいますよ」

仙太郎は安穏と応《こた》え、お香の方を見てにこやかに頷いた。

「私にも、言わせて頂きたいことがあります」

部屋の隅に座っていたお染が、畳を膝行し、仙太郎ににじり寄る。

「内藤新宿の店から移ってきた奉公人たちが、お香さんのことを『女将さん』というので、この店には女将がふたり居るように思われてしまい、迷惑をしているんです。別の呼び名を考えてもらえませんか」

ここは日本橋の店なんですからね、とお染は切り口上になった。

またその話かい、と仙太郎はうんざりした体で続けた。

「それなら大女将、とでも呼ばせて頂きなさい。女将はお前、大女将はお母《つか》さん、それで良いだろう。皆にも、その旨をしっかり言いつけておきますよ」

同じ位ならば大の付く方が格上になる。言下に序列を示す仙太郎の判断に、お染は青くなったあと、怒りで頰《ほお》を朱に染めた。だが、この店の主に抗うことは、たとえ女房でも許されない。お染は腹立ちの矛先をお縁に向けるべく、眦《まなじり》を決した。

「屍洗いを生業にしている輩《やから》が、この家で半年も何をするというのです？　どこに寝起きして、どんな立場なのか、はっきりしてください」

「お染、その態度は一体何だい」

堪忍袋の緒が切れたとばかりに声を荒らげるお香を、大女将さん、とお縁は軽やかに制した。そして仙太郎とお染に向き直ると、居住まいを正す。

「旦那さん、女将さん、私は大女将さんの身の回りのことと、掃除や洗い物など内々のお手伝いをさせて頂ければ、と存じます。お部屋は他の奉公人のかたとご一緒させて頂けませんでしょうか」

お縁の申し出を、仙太郎は初めのうちは、

「いや、そんなわけにはいきませんよ。お縁さんは本当なら桜花堂の養女になるはずだったひとなんですからね」

と、強く拒んだけれど、そうでなければ桜花堂に居られない、とお縁に言われて已《や》む無く折れた。

仙太郎とお縁の遣《や》り取りを聞き終えて、お香はお縁にこう頼み込んだ。

「せめて寝起きだけは奉公人と一緒ではなく、この仏間で私と一緒にしておくれでないか。ねぇ、お縁、そうさせておくれ」

漸く娘の名を口にして懇願するお香に、今度はお縁が折れるしかなかった。

結局、お染が口火を切ったお蔭で、家の中の取り決めが滑らかに決まったのだった。

「二階は奉公人たちの部屋になってるのさ」

話し合いのあと、お縁に家の中を案内して歩いて、お香は最後に階段を上った。

建物が新しいこともあるが、階段にも廊下にも丁寧に雑巾《ぞうきん》がかけられていて、塵《ちり》ひとつ浮いておらず、清浄を保っている。十人ほどの奉公人を抱える桜花堂だが、下働きに至るまで躾《しつけ》が行き届いていることが窺《うかが》えた。

「ひとり、風邪で熱を出した子が居てねぇ」

お香が身を屈《かが》め、端の板敷の部屋を覗いた。

下働きの小女《こおんな》用の部屋に寝かされているのは、八、九歳の少女だった。部屋に入ってきたお香に驚いて、慌てて半身を起こした。

「ああ、お玉《たま》、良いから寝ておいで」

お香は言って、手を添えて奉公人を休ませた。その額に掌を置いて、

「まだ少し熱いねぇ。あとで薬湯を運ばせるからね」

と、優しく言った。

日常のさり気ない情景のはずが、お縁の心は波立った。その温かな気遣いや仕草は、店の女将というより母親のものだった。お登勢とお艶《えん》のまま暮らしていれば、お艶に向けられたであろうものに違いなかった。

胸に芽生えた哀《かな》しみをお縁は静かに封じた。

「女将さん、いえ、大女将さん、どちらです」

階下で忠七がお香を呼んでいる。

お香は慌てて立ち上がり、部屋を出て階下へと向かった。お縁は迷いつつもお香のあとを追う。

「大女将さん、遠州屋《えんしゅうや》の旦那さんが引菓子のことでご相談がある、と仰《おつしや》って」

忠七から早口で説明を受け、お香は軽く頷いて中座敷を抜け、店へと出た。お縁は内と店とを分ける間仕切りの陰に隠れて、そっと様子を眺める。

桜花堂の上客なのだろう、でっぷりと肥え太った初老の男が、綿の詰まった座布団に憤然と座っている。応対するお染の顔からは血の気が失《う》せていた。

「遠州屋の旦那さま、お待たせいたしました」

現れたお香の姿を見て、遠州屋と思《おぼ》しき男は眉《まゆ》を上げた。かなり機嫌を損ねていることが読み取れた。

お香は板敷に両の手をつくと、折り目正しく一礼する。

「この度はお嬢さまのご縁組がお決まりになられたとの由、まことにおめでとうございます。昨年の大火からこちら、初めての嬉《うれ》しい知らせでございました」

真心のこもった祝いの言葉に、遠州屋の表情が僅かに動く。

「そのめでたい祝言で配る引菓子のことだが」

遠州屋治兵衛《じへえ》は福耳を引っ張りながら、顎でお染を差し示して続ける。

「このひとから皮むきの紅白饅頭《まんじゆう》を薦められたんですよ。全く、話にならない。饅頭なら何も桜花堂で頼まずとも、もっと美味《うま》い店が幾らでもありますからねぇ」

まあ、それは、とお香は極めて申し訳なさそうに板敷に額を付けた。

「遠州屋の旦那さまには、茶会の席を始め、日常のお茶請けにまで桜花堂の最中《もなか》をご贔屓《ひいき》頂いておりますこと、何より有り難く存じます。最中こそが桜花堂の顔でございますから、引菓子にも是非とも最中を提案させて頂きたく存じます。ただし、常の桜最中ではなく、ご婚礼には松葉を模した薄緑の寿《ことほ》ぎの最中を薦めさせて頂きます」

お香の提案に、ほう、と遠州屋治兵衛は頷いた。

「散ることを連想させる桜ではなく、松葉を模した、というのは如何《いか》にもめでたい。それは最中好きの私としても、是非とも食してみたいものですなあ」

遠州屋の機嫌が直りつつあるのを察して、お香は顔を上げ、満面の笑みを浮かべた。

「はい、見本の品を今日のうちに、お店へお届けいたします」

お香の隣りに座っていたお染は、居たたまれぬ様子で場所を移した。

初日はお香の傍《そば》についているだけで精一杯だった。昼餉《ひるげ》も夕餉《ゆうげ》も仙太郎たちと一緒だが、緊張のあまり、何処《どこ》に入ったかわからないほど気もそぞろな食事になった。

「お縁さん、それは私どもが」

食べ終えた箱膳《はこぜん》を持って流しに行こうとすれば、下働きの娘に止められる。勝手がわからず、手伝うはずが却って面倒をかけることになる、と判断してお縁は済みません、と娘に頭を下げた。

忠七を始め桜花堂の奉公人たちは勿論《もちろん》、お染でさえ、お縁とお香との関係を知らない。ただ、先代とお香とが養女に望んだ娘、という一事を持って、奉公人らは最初からお縁に対して丁重に接してくれていた。

「今日は何だか気疲れがしたよ」

仏間に引き上げるとお香は言って、押し入れの襖を開けた。上段に二組の布団が畳まれている。それを並べて敷くと、ふたりは早々と横になった。

親子と知れて初めての水入らずの夜のはずが、くたくたに疲れていたお縁は、あれこれと思うこともなく、すぐに眠りに落ちた。

夢の中で、お縁は少女の頃に戻り、誰かに抱き上げられていた。柔らかな良い香りのするひとに、髪を、頰を撫《な》でられた。夢と知りつつ、心地よさにうっとりとする。

夜半、何かが頰にあたるのを感じて、お縁は現《うつつ》へと引き戻された。夢への未練を残しながら、頰を撫でてみれば、指先がわずかに濡れる。泣いた覚えもないのに、と薄く目を開けると、行灯《あんどん》の仄《ほの》かな明かりが枕もとに座るお香を照らしている。

お香は袂《たもと》で顔を覆い、俯いて小刻みに身を震わせていた。お縁の頰を濡らしているのは、お香が落とした涙だと知れた。

嗚咽《おえつ》を洩らすまい、と袂に顔を埋《うず》めているお香の姿を、しかし、意外にもお縁は動揺もせず、静かに眺めていた。優しい言葉をかけねば、とは思うものの、お縁の唇は結ばれたままだ。実母の涙をもってしても溶けない氷のような心根を認めて、お縁は眠った振りを続けるべく、両の瞳を閉じた。

桜花堂が日本橋に店を開いたのは、寛政八年(一七九六年)、仙太郎が二十六歳の時と聞いている。佐平に似て商才もあり、十年かけて桜花堂の日本橋の店を、押しも押されもせぬ名店に育て上げた。建物は昨年の大火で全焼したが、得意先なども元の場所に戻ったため、建て替えた店で以前と変わらぬ商いを再開できている。

大したものだわ、とお縁は店の表を掃きながら桜花堂の看板を頼もしげに眺めた。

そんなお縁の傍らを、荷担ぎの男たちが、声高に話しながら通り過ぎる。

「そういやぁ、今朝も竜閑《りゅうかん》橋の袂で猫の死骸《しがい》を見たが、口から泡を吹いてたぜ」

「ここんとこ、続けざまじゃねぇか。存外、三味線《しゃみせん》屋が毒でも盛ってんだろうよ」

不穏な噂話《うわさばなし》が気にかかって、お縁は男たちの後ろ姿を目で追った。命あるものに対して何と罰当たりなことを、と心に影が差した時だった。

「お縁さん」

小さく呼びかけられて、首を捩《ね》じって声の方を見る。相手を認めると、あら、とお縁は微笑《ほほえ》んだ。先達て風邪で寝込んでいた幼い奉公人だった。

「お玉ちゃん、どうかした？」

お縁は少女の目の高さに身を屈めると、柔らかに問うた。

「大女将さんが呼んでらっしゃいます」

お掃除、替わります、とお玉は言ってお縁の持つ箒に手を伸ばした。覗いた手首に随分と酷《ひど》い湿疹《しっしん》がある。強く搔《か》いたのだろう、赤くただれてしまっていた。

「よほど痒《かゆ》かったのね、でも、随分と痛そうだわ」

お縁は少女の手を取って、呻いた。

搔かない方が良い、とわかっていても、ついつい搔いてしまうのが子どもなのだ。

「女将さんにひどく怒られました。うちは菓子を扱っているのに、汚らしいって」

消え入りそうな声で応えるお玉の手を、両の掌で包んで、お縁は考え込んだ。

「お縁、仕度はできたのかい？　そろそろ出ないと、帰りが遅くなってしまう」

なかなか来ないお縁を訝ったのだろう、勝手口の方からお香の声がしている。それで漸く、お縁は今日、お香と植木市へ出かける約束をしていたことを思い出した。

大火のあと、一応住処《すみか》が整うと、ひとびとは庭に樹を植えたり、草花を育てることを考える。そのためか、江戸でも、あちこちで植木市が立つようになっていた。

ことに春は、植樹には望ましい季節でもある。大火を免れた寺や神社の庭を借りて、染井《そめい》村や遠くは川口から、植木職人が自慢の樹や苗を持ち込むのだ。お縁たちが出向いた市は、陽気に恵まれたこともあり、冷やかしも含めて大いに賑わっていた。

「庭に緑があると、落ち着くんだよ。花が咲けば慰められもする。けれど、仙太郎は庭木にまで気が回らないし、お染は端《はな》からそうしたことに興味がないからねぇ」

お香は浮き浮きとした口調で言って、大島桜、山茶花《さざんか》、いろは紅葉《もみじ》、と眺めて回る。

「お縁なら、どんな樹を植えたいかねぇ？」

お香に問われて、お縁はあれこれと思案して、忍冬《すいかずら》でしょうか、と答えた。

「忍冬の花は優しい香りがしますし、引き抜いて蜜《みつ》を吸えば、甘くて美味《おい》しいし」

甘くて美味しい、というお縁の言葉を繰り返して、お香は声を立てて笑いだした。

「お縁は本当に食いしん坊なんだねぇ」

「そんな……。忍冬の花は喉の痛みによく効きますし、葉は汗疹《あせも》に良いんですよ」

お縁がむきになって言えば、お香はますます笑い転げた。

「そこの仲良しの母娘さんよう」

ふたりの遣り取りを聞いていたのだろう、苗木を商う男が声をかけてきた。

「生憎《あいにく》、忍冬の手持ちはないが、他のはどうだい」

お香は笑いを納め、まじまじと男を見返した。

「この娘と私が母娘に見えるのかねぇ」

「見えるも何も、面差しがそっくりだ」

言われて、ふたりは思わず互いを見合った。

お縁は鏡を持たないし、自分の顔をじっくりと眺めることはあまりない。お香の切れ長の目やすっきりと通った鼻筋を見て、そうか、似ているのか、と思った。

「さ、お母さん、娘さんのために梅なんかどうだい」

「梅かい、そうだねぇ」

お香はくぐもった声で応えて、お縁から顔を背けた。

お縁は苗木の中に、緑の若葉を茂らせたものを見つけて、あっ、と声を洩らす。

お縁が興味を持った苗木を見て、売り手の男は頭《かぶり》を振った。

「そいつは勧めないよ。よほど大きな庭でないと育てるのは難しいし、何せ実がなるまで三年ほどかかっちまう」

「いえ、育てたいわけではないんです」

柔らかな若葉を撫でて、お縁は男に、

「この葉がほしいんです。葉だけ分けて頂くわけにはいかないでしょうか？」

と、頼み込んだ。

「で、結局、買う羽目になったんですか」

仏間から続く縁側に座って、仙太郎は楽しげに声を上げて笑う。

「よもや葉だけ売ってくれるわけもないからねぇ」

息子と並んで座り、庭を眺めて、お香はやれやれ、と左右に首を振った。

桜花堂のそう広くもない庭に、忠七の指示のもと、先刻から手代がせっせと苗木を植えている。大きな樹なら植木職に任せるが、苗木なので根付くことを願いつつ、内々で植えることにしたのだ。

一本は大島桜、そしてもう一本は、鋸《のこぎり》の歯に似た薄緑の若葉を持つ樹。お縁の気持ちを汲《く》んでお香が買った苗木の正体は、実は栗《くり》であった。

「栗は横へ横へと枝を張るからねぇ。育ってほしいような、勘弁してほしいような。何とも複雑な気持ちだよ」

ほろ苦く笑うお香に、仙太郎は、宥《なだ》める口振りで告げる。

「栗という字は西の木と書くから西方浄土に縁がある、と著名な俳諧《はいかい》師の書に記されていましたよ」

実にお縁さんらしい樹を選んだものだ、と仙太郎は庭の隅に目をやった。

そこには、ふたりの遣り取りに気付かぬまま、摘《つ》んだ栗の葉を笊《ざる》に広げて干すお縁の姿があった。なるほどねぇ、とお香は安らいだ表情で、仙太郎に頷いてみせた。

日暮れまでにはまだ間があり、桜花堂の庭には長閑《のどか》な刻が流れている。

「お玉、さっさと塩を撒《ま》くんだよ、早く早く」

突然、生垣の向こうから、奉公人を怒鳴りつけるお染の罵声が響いてきた。

「相変わらず賑やかだねえ、お染は」

眉を顰《ひそ》めるお香に、無理もありませんよ、と忠七がとりなすように言う。

「最近、やたらと猫が死ぬんですよ。今日の昼にも、そこの路地で野良猫の死骸が転がっていましてね、隣家の下働きが埋めてやっていました。縁起でもない、と女将さんは随分と気にしておられましたから」

大番頭の言葉に、ああ、そう言えば、と仙太郎も思い出した風に頷いた。

「寄合でも噂になってましたよ。とにかく立て続けに猫が死んだそうで、存外、おかみを恐れぬ何処かの不届き者が、猫で毒でも試しているのでは、との話でした」

「何てまぁ、物騒な話だこと。おかみには早く猫殺しを捉《つか》まえてもらわないと、安心できやしないねぇ」

声を落としたあと、お香はもう一度、庭に目を向ける。

無心に作業を続ける娘、その艶《つや》やかな尼そぎの黒髪に、春陽が煌《きら》びやかな天冠台《てんかんだい》を置く。俗世の汚れを知らぬ神々しい姿に、お香の胸は詰まった。

自身の意思で捨てた娘だった。生涯、憎まれて当然なのだ。仮に娘が心の奥底で母を許し難いと思っていたとしても、それでも良い。

今は、手を差し伸べれば届く距離に居る。声をかければきっとこちらを向いて応えてくれる。これ以上を望めば罰が当たる。お香は潤み始めた瞳をごまかすように、視線を空へと転じた。


つい先日まで桜草売りが流していた上槙町の路地を、今は杜若《かきつばた》を抱えた花売りが賑やかに鋏《はさみ》を鳴らしながら行く。

当初、慣れることはないだろうと思った桜花堂の暮らしも、ひと月が過ぎていた。

お縁はお香に頼まれて花売りから杜若を買い求め、それを抱えて勝手口へと戻る。

「あ、お縁さん」

お玉と話していた下働きの女が、お縁を見つけて駆け寄り、これを見てくださいな、と言って袷《あわせ》の袖を捲ってみせた。細い腕だが、張りのある健やかな肌が覗いている。

あら、とお縁は口もとを綻《ほころ》ばせた。下働きは酷い湿疹に苦しんでいたはずだった。

「お玉の時みたいに、湿疹がこんなに綺麗《きれい》に治ったんですよ」

お縁さんの煎《せん》じ薬、本当によく効くんですねぇ、と女は嬉しそうに自分の腕を擦《さす》った。傍らで、お玉もにこにことお縁を見上げている。

栗の葉を干して煎じたものを根気よく塗れば、湿疹や漆かぶれなど皮膚の病に効く。青泉寺で教わった知恵が、桜花堂では皆からとても重宝されるようになっていた。たとえ菓子作りに直接関わらない下働きであっても、店として口に入るものを商う以上、塗り薬を使うのにも気を使う。その点、栗の葉なら安心だった。

「お縁、戻ったのかい」

お香が廊下から台所を覗いて、声をかけた。

はい、と応えてお縁は杜若を抱え直して、お香のもとへと歩み寄る。仲睦《なかむつ》まじいふたりの様子を眺めて、先の下働きはしみじみと零《こぼ》した。

「お縁さんがここの女将さんなら、どんなにか私たち奉公人も働き易いか知れない」

下働きのひと言に、お玉を含めその場に居合わせた奉公人が、一斉に深く頷いてみせた。そうした奉公人たちの心の動きに、女将のお染とて気付かぬわけはなかった。

花器を抱えて中座敷に現れたお縁を迎えた時、お染は丁度、読売を読んでいるところだった。

「女将さん、失礼して床の間の立花《りっか》を替えさせて頂きますね」

そう断って床の間に花器を置き、杜若の手直しをするお縁のことを、お染は冷ややかに見ていた。飾り終えて、一礼して部屋を出ようとするお縁に、お染は、

「最近、あちこちで猫が変な死に方をするけれど、毒を盛られてるそうよ」

と、手にした読売をくしゃりと丸め、投げて寄越した。

「ほら、そこに書いてある。色んな毒を猫で試している、と。いずれはひとを殺《あや》めるために使うつもりだろう、と。ひとって、何時、どんなかたちで他人から恨みを買うかわからないし、毒を盛られないように気を付けないとね」

お染が何を言いたいのかがわからず、当惑したお縁は、畳に落ちた読売とお染とを交互に見た。その様子が、お染を一層、苛立たせる。

「屍洗いはひとに取り入るのがお上手なようだけれど、物言わぬ骸《むくろ》と違って、生身の人間は厄介よ。妙なことで恨みを買わないようになさいな」

声に毒々しい棘《とげ》があった。

「仰ることの意味がわかりません」

お縁は静かに、しかしきっぱりと伝えた。

青泉寺の湯灌場に立つお縁のことを「屍洗い」と侮蔑する者は確かに居る。だが、遠い日、初めてその言葉を耳にした時の衝撃もとうに胸を去り、最早、お縁を動揺させることも、傷つけることもない。

お染は挑むようにお縁を睨《にら》んだが、真《ま》っ直《す》ぐに見返されて、自分から視線を外した。

「菓子屋になんて嫁ぐんじゃなかった」

それまでの嚙みつくような話し方ではなく、声音に僅かな哀しみが宿っている。

お縁は黙って、お染の言葉の続きを待った。

「向かないのよ、私には。菓子も、それに奉公人を束ねることにも」

初夏の陽射しに恵まれた部屋のはずが、すっと影が差したように感じる。お縁はどう応えて良いかわからず、お辞儀をして、部屋をあとにした。

その知らせが飛び込んで来たのは、早いもので皐月《さつき》も半ば近くになった夜のことだった。雨が近いのか、桜花堂の庭に蛍火《ほたるび》が三つ四つ灯《とも》っていた。

「お母さん、大変なことになりました」

外から戻った仙太郎が、あたふたと仏間へ飛び込んできた。丁度、お香とお縁とが縫い物をしているところだった。

「遠州屋の旦那さんが、今日の昼過ぎに亡くなられたそうです」

「ええっ」

裏返った声を上げ、お香は狼狽《うろた》えて針を放すと、仙太郎に縋《すが》った。

「けれど遠州屋さんへは今朝、でき立ての桜最中を届けたばかりじゃないか」

「ええ。私が届けました。その時に旦那さんにもお目にかかっています」

特に変わった様子も見られなかったのですが、と仙太郎は声を落とした。

突然の訃報に、お縁は幾度か店で見かけた遠州屋の主、治兵衛を思い返す。肥え太り、頑丈そうな体軀《たいく》をしていた。呉服商を営む傍ら、茶の湯を嗜《たしな》み、桜最中を殊《こと》のほか好んだと聞く。ひとの命は明日をも知れぬが、それでも顔を知る者の訃報を受ければ、心穏やかではいられない。お縁は目を閉じて、そっと手を合わせた。

「何を置いてもまずお通夜へ。菩提寺がどちらかわからないけれど、ともかくお店へ伺いましょう」

お縁、お前も仕度をおし、とお香は縺《もつ》れる口調でお縁に命じた。

ひとは身近な誰かを突然に喪うと、その事実を容易には受け容《い》れない。大きな悲しみが襲ってくるのは死の直後ではない。遺された者をまず襲うのは、「まさか」「そんな」という衝撃であり慌ただしさである。これまで多くの死と接してきた経験から、お縁はそう理解していた。それゆえ、提灯《ちょうちん》を手に遠州屋の前に立った時、説明し難い不審の念を抱いたのだ。

　日本橋通り南四丁目、桜花堂から少し離れた目抜き通りにある大店は、暖簾を外し、店の入口を開け放っているものの、しんと静まり返っていた。中で通夜が営まれている様子はなく、夜目にも何やら物々しい気配に包まれている。そこに衝撃や慌ただしさとは異質の、何か只《ただ》ならぬものが潜むのを、お縁は感じ取った。

　仙太郎もお香も勝手が違うのを察したのだろう。互いに戸惑いの視線を交えている。果たして本当に遠州屋の主の通夜なのか、考え込んでいても埒《らち》が明かない。仙太郎は提灯を顔の高さまで持ち上げ、入口から奥へと声をかけた。

「御免なさいまし、桜花堂でございます」

「何、桜花堂だと」

　確かに桜花堂か、との声が重なり、奥から男がふたり、飛び出してきた。

　店内の行灯の明かりが、男たちの身に付けている千草色の股引《ももひき》と黒の脚絆《きゃはん》姿を照らしている。その装束から察するに、奉行所つきの中間《ちゅうげん》らしかった。

「桜花堂と名乗ったが、お前がその主か」

提灯に記された名を確かめて、若い方が居丈高に仙太郎に糺《ただ》した。

「はい」

仙太郎が応えるや否や、ふたりは飛びかかった。仙太郎の手から提灯が外れて、ぱっと燃え上がる。

「一体、何事でございますか」

羽交い絞めされ、土間に捻《ね》じ伏せられて、仙太郎はわけもわからないまま叫んだ。お香もお縁も驚き、間に割って入ろうともがいた。

「おい、乱暴は止《よ》さないか」

今ひとり、奥から現れた者が居る。

お縁には男の声に聞き覚えがあった。もしや、と思い、その人物の方へと瞳を凝らす。男の持つ手燭《てしょく》を頼りに様子を窺えば、顔の部分は棚の陰で見えないが、腰に挿した鮮やかな朱房の十手《じって》が目を射った。

「新藤さま」

お縁は震える声を上げる。

「もしや、同心の新藤松乃輔さまではありませんか?」

ふたりの中間はぎょっとして動きを止め、お縁に見入った。

「如何にも俺は定廻り同心の新藤松乃輔だが」

声の主は手燭を持つ腕を差し伸べ、お縁の居る方を照らした。明かりは自然、持ち手の顔も照らし出す。太い眉の下に鋭い眼光を放つ双眸《そうぼう》、少しへしゃげた鼻、一文字に結ばれた唇。五年の齢《とし》を重ねたが、面影は以前と変わりがなかった。

相手はしげしげとお縁を眺め、確かに見覚えがある、と呟いた。

「私は以前、神田の」

「待て、今、思い出す」

名乗ろうとするお縁を封じて、新藤はじっとその顔を注視した。やがてその目が細められ、両方の口角がくっと上がった。

「お縁、そうだ、お縁だ」

新藤は中間たちを払い除け、弾《はず》む足取りでお縁の傍へと寄った。

「『無冤録述《むえんろくじゅつ》』を読む三昧聖《の》のお縁だ。検死のあとでも旨《うま》そうに天麩羅蕎麦《てんぷらそば》を食っていた、あのお縁だな」

「そうです、青泉寺の縁です」

楽しげな新藤に比して、お縁は悲痛な表情で迫った。

「新藤さま、何故、桜花堂の旦那さんがこんな目に遭わねばならないのですか」

お縁の様子に新藤は、軽く目を見張る。

「お前、桜花堂とはどういう関係か?」

同心に問われて、お縁は、先代から養女にと望まれた事実と、青泉寺の住職の意向で、半年ほどを目安に、桜花堂に身を置くことになった経緯とを手短に伝えた。

「ふうむ」

新藤はお縁とお香を代わる代わる眺めたあと、腰を落として、仙太郎の顔をじっと覗き込んだ。

「遠州屋の店主、治兵衛は今日の昼過ぎ、茶の席で桜花堂の桜最中を口にしたあと、急に苦しみだして、それきり息絶えた。毒を盛られたのではないか、との同席者からの届け出により俺が出向いたのだ」

えっ、と仙太郎が驚愕《きょうがく》の眼差しを新藤に向ける。

「もしや、私にお疑いが?」

それには応えず、新藤はお縁とお香の方へ首を捩じった。

「悪いが、仙太郎は店へは帰れない。自身番で色々尋ねることになるからな」

同心の言葉にお香は動揺のあまり真っ直ぐに立っていられず、咄嗟にお縁に縋った。

「遠州屋治兵衛さんに」

お縁は思わず叫んでいた。

「新仏《にいぼとけ》さまに会わせてくださいませ」

「亡骸《なきがら》はここには無い」

お縁の願いをさらりと封じて、新藤はゆっくりと立ち上がり、ふたりの中間に強い口調で命じた。

「自身番へ連れて行け。ただし、調べは明朝、俺が行う。それまで手荒なことは決してするな。俺が赦《ゆる》さぬ」

ふたりの中間は、はっ、と短く応えて手にした縄を仕舞った。そして、仙太郎の腕を両側から引いて立たせると、引き摺《ず》るようにして戸口へと向かった。

「仙太郎」

お香が叫んで、よろめく足で追い駆ける。

お香を追おうとするお縁の腕を、新藤はさっと捉えた。

「母親には気の毒だが、仙太郎は当分の間、身柄を拘束されるだろう」

「そんな」

お縁は棒立ちになった。

気付くと、店と奥との仕切りに遠州屋の奉公人たちと思しき者が幾人もこちらを覗いている。いずれの顔にも激しい憎悪の色が浮かんでいた。

お縁、と新藤は腕を掴んだままお縁を引き寄せ、その耳もとに囁《ささや》いた。

「明朝四つ（午前十時）、高札場前の自身番に母親と一緒に来なさい」

明朝四つ、とお縁が低く繰り返すと、新藤は頷き、さっとお縁の腕を放した。そして、奉公人たちの方へ向き直ると、声を張った。

「遠州屋治兵衛の死に関して、まだ何ひとつ明らかではないのだ。お前たちは余計なことを考えず、それぞれの仕事に戻れ」

何の予兆か、雷が不気味に鳴り響き、開け放った戸口から覗く闇を怪しく光らせていた。


夜半過ぎて降り出した雨は、朝になっても止むどころか、ますます雨脚を強めた。ひとびとは傘を斜めにして、泥土と化した日本橋通りを駆け抜ける。

常ならばとうに暖簾を出しているはずの桜花堂だが、今朝は固く戸を閉ざしたきりだ。表格子には、急な休みを詫びる旨の紙が貼《は》られている。名物の桜最中を買いに訪れたお客らは、その貼り紙に目を止めて、仕方なしに引き返していった。

「お姑《つか》さん、私も一緒に行きます」

仕度を終えて、仏壇に手を合わせているお香に、お染が取り縋る。

またその話かい、とお香は手を解いて顔を上げた。その両の目が赤い。

「幾度も話したろ。自身番に呼ばれているのは私とお縁だけなんだよ。私は仙太郎の母親として、そしてお縁は以前、同心の捜索の手助けをしたことがあるから呼ばれたんだ。お前は桜花堂の女将として、皆を束ねておくれ」

こんな時だからこそ、しっかりしておくれでないと、とお香はきつく言い添え、傍らのお縁を促して仏間を出た。背後でお染のすすり泣く声がしていた。

「大女将さん、お縁さん、行ってらっしゃいませ」

奉公人たちは、主一家が遠州屋の葬儀を手伝うために店を休むと理解しているらしく、ごく和やかにお香らを見送っている。

「忠七、あとを頼みましたよ」

唯一、事情を知る大番頭を傍へ呼んで、お香は声を低める。

「仙太郎の無実は確かでも、それが明らかになるまで、ひとの口に戸は立てられない。これから色々と厄介だよ」

大女将の懸念に、忠七はただ無言で深く頷いた。

叩きつけるような雨の中を、お縁はお香と並んで歩く。日本橋通りを北へ、北へと進めば、ひとつ飛びの四辻《よつつじ》ごとに木戸が設けられ、自身番が置かれていた。江戸では一町に一か所の自身番を置くのが決まりのはずだが、町が小さければいくつかが共同でひとつの自身番を設けるしかない。木戸と自身番の多さが、日本橋が江戸における商いの中心地であることを物語っていた。

通りの切れ目から、弧を描く美しい日本橋が覗く。その橋の袂に高札場がある。お香とお縁は揃って歩みを止め、傘を傾けて、互いの存在を確かめるように視線を絡め合った。

その建物は木戸の内側にあった。戸口の障子を外して横倒しに立てかけてあるため、中の様子が見て取れる。手前の畳敷の部屋で家主らしい男が文机《ふづくえ》に向かって筆を動かしていた。新藤が指定した自身番のはずだが、家主の他にひとの姿はなかった。

捨て鐘が三つ鳴り響いた時、中で書き物をしていた男が顔を上げて外を見た。自身番屋の前に立つお香とお縁を認めて、慌てて腰を浮かし、奥へと声をかける。障子が開いて、板張りの間からひょいと新藤が顔を覗かせた。

「刻限通りだな」

新藤が畳の間へ移る間に、家主は表の腰高障子を戻して、お香とお縁を中へ招き入れた。そして気を回したのか、自分はそっと外へと出ていった。

おそらく仙太郎は板張りの部屋に留め置かれているのだろうが、障子に仕切られて窺い知れない。お香とお縁は奥の様子を気にしつつ、新藤に勧められるままおずおずと畳に座った。

「事態は仙太郎にかなり不利だ」

躊躇いなく話を切り出す新藤に、ふたりは色を失う。動転するふたりを前に、同心はゆるりと腕を組み、先を続けた。

「遠州屋治兵衛が茶の席で、桜花堂の桜最中を口にした途端、苦しみだし、そのまま落命した、というのは昨夜話した通りだ。馴染《なじ》みの医師にも話を聞いたが、治兵衛はすこぶる頑健で、たまに風邪を引く程度。ことに昨年の大火のあとは診察を頼まれたことはない、との話だ。毒殺が疑われるのは、同席した者五名が声を揃えて、桜最中の味の異常を訴えているからだ」

「味の異常？」

そんなまさか、とお香は一瞬絶句し、救いを求めるようにお縁を見た。

しっかり者のお香の狼狽《ろうばい》を目にしたことで、お縁はまず何よりも自分が落ち着かねば、と深く息を吸って気持ちを整えた。

大事なのは事態を正しく把握することだ。

「どのように異常だった、と？　食べたひと全員が苦痛を訴えたのでしょうか？」

お縁の問いかけに、いや、と新藤は頭を振る。

「いつもの桜最中の味ではない、と。ただ奇妙な味だったとしか言いようがない、とのことだった。治兵衛は味の異変を訝って、立て続けに残り全てを食べたあと、苦悶《くもん》して果てたのだ」

まず考えられるのが毒物の混入だが、桜花堂の仙太郎が届けた桜最中は塗りの箱に納められて紐《ひも》を掛けられた状態で、盆に載せられて中座敷の小机に置かれていた。遠州屋では家族も奉公人たちも、主が桜最中に目のないことを知っているので、誰も塗りの箱には手を触れない。茶会が始まるまで桜最中はずっとその状態で保管されていたという。

「仙太郎の手から受け取ったあと、毒物を入れる機会のあったものが居ない。否、居るとすればそれは治兵衛本人なのだが、娘の祝言、という慶事を控えた治兵衛がそれをする理由がない……とまぁ、今のところ判明しているのはそこまでだ」

ひと息に話すと、新藤は脇に置かれた薬缶《やかん》に手を伸ばし、欠けた茶碗《ちゃわん》に中身を注《つ》いで、ぐいっと飲み干した。

「では、遠州屋さんも同席の皆さんも、まだ桜花堂の桜最中しか口にされていなかった、というわけでしょうか？」

お縁の疑問に、新藤は頭を振って茶碗を示した。

「いや、先に治兵衛の点《た》てた薄茶《かし》を飲んでいる、その場に居た全員だ」

新藤の回答に、お縁は首を傾げる。

確か、茶の湯では先に菓子を食べて、それから濃茶なり薄茶なりを口にする、と聞いていた。先に甘味《かんみ》を口にしておく方が茶の味わいが引き立つから、と。

お縁の疑問を察したのだろう、新藤は苦く笑ってみせた。

「茶会とは名ばかりで、作法とは無縁のものだ。治兵衛も最初のうちは師範について茶道を学んでいたそうだが、堅苦しいのを嫌って止めたそうな。要するに気心の知れた者同士が、薄茶と桜最中を楽しむ集い、というわけなのだ」

昨日は治兵衛も含め全員で薄茶を飲んだあと桜最中に手を出した、と聞いて、お縁は畳に両の手をついて、新藤の方へ身を乗り出した。

「では、そのお茶に毒が入っていた、とは考えられませんか？」

「それはない。昨夜、同じ茶を俺も飲んだが、何ともなかった。それに同席していた者たちが一様に、茶ではなく、桜最中の味の異変を訴えているのだ」

お縁の仮説をあっさり打ち消して、新藤は茶碗を置いた。

お言葉ではございますが、と、それまで同心と娘との遣り取りをただ聞くばかりだったお香が、血の気の失せた顔を上げる。

「桜花堂の最中の味が変ということが、私にはどうしても得心がいきません」

桜花堂の桜最中は、お香が先代とともに作り上げた品だった。狼狽えている場合ではなく、桜花堂の暖簾に賭《か》けても、お香は訴えずにはいられなかったのだ。

「桜最中はうちの職人が餡《あん》を作り、薄い皮を焼き、ひとつひとつ手で詰めております。仕上がったものは仙太郎と私が味を確かめてから、店に出すようにしているのです」

昨日もそうして味を見たものを遠州屋さんにお届けしました、とお香は毅然《きぜん》とした口調で告げる。新藤は上体をぐっと前へ傾けて、眼光鋭くお香を見た。

「味見した時、何か気付いたことはなかったのか？」

「いえ、常と変わらぬ桜花堂の味でした」

お香の返答に、新藤はさらに畳みかける。

「お前さんが味見したあと、遠州屋へ届ける途中で仙太郎が毒物を入れたと考えられはしないか」

「何故ですか。何のために仙太郎がそんな真似《まね》をしなければならないのです」

激しい怒りで、お香の声は鋭く尖る。

お香と新藤との舌戦が、お縁に一歩引いて観察する余裕を与えた。新藤の台詞を頭の中で繰り返すうち、知らず知らず、どうにも解せない、とお縁は小さく呟いていた。

新藤はそれを聞き逃さず、お縁、と名を呼んで水を向ける。

「何が解せないのか。申してみよ」

「新藤さまは何故、それほどまでに死の理由を毒殺にしたいのでしょうか？」

不思議でならない、と言わんばかりのお縁からの問いかけに、新藤ははっと目を剝《む》いた。そして、ひと呼吸置いたあと、笑いだした。初め両肩を上下させる程度の笑いが、やがて徐々に増幅されていく。ついには声を上げ、腹を抱えた新藤である。

「いやあ、愉快、愉快。お縁、お前、寺に居るより俺の手先にならぬか。良い活躍をしそうだ」

同心は立ち上がって表の腰高障子を顔の幅まで開いて外を覗いた。雨の匂《にお》いが忍んできた。表にひとが居ないのを確かめると、ぴしゃりと閉める。そして障子にもたれたまま、お縁を見下ろした。

「このところ、猫に毒を盛って殺す事件が続いて、騒動になっているのは知っているな？　読売なども随分と騒いでおるようだが」

「はい、存じています」

急に何を言い出すのか、と訝りながらも、お縁は明瞭《めいりょう》に答える。いつぞや、お染が投げて寄越した読売にも同じことが書かれていたのを思い返していた。

「当初は『猫殺しが話題になるのは他に大きな事件がない証《あかし》』で済ませていたのだが、その数が夥《おびただ》しくなり、世情の不安も相俟《あいま》って見過ごせなくなっている。そこへ比度《こたび》の一件が起きた。遠州屋は口にしたものの異変を訴え、苦悶の果てに急死したのだ」

ひと息に言って、新藤はふいに口を噤《つぐ》んだ。

続きを話さぬ定廻り同心をお縁は、じっと凝視する。

何故、新藤は唐突に猫殺しの話など持ち出したのか。当初、他に大きな事件がない証として済ませていたのは誰か。見過ごせなくなるのは誰か。もしや新藤はそこを考えろ、と暗に示唆しているのではないか。

猫殺しであれこれ毒の効き方を試している者が居る。いずれ誰かを毒で殺めるつもりではないか——世情の不安とはまさにこのことで、それを気にかけるべきは新藤ではなく、もっと上の者に違いない。

そこまで考えて、お縁は、ああ、と声を洩らした。

遠州屋に毒を盛った者と、猫殺しを繰り返していた者とが同じなら、これを捕えることで世情の不安も解消される。即《すなわ》ち、おかみにとって、今回の遠州屋の一件はまさに渡りに船だったのかも知れない。

「ならば、このままでは仙太郎さんは科人《とがにん》に仕立て上げられてしまう、ということなのですね」

お縁のひと言を聞いて、その思考を正しく読み取ったのか、新藤は片側の口角をくっと上げた。

「お縁、一体何の話をしてるんだい」

お香は同心と娘の遣り取りが理解できず、おろおろと娘に取り縋る。

「仙太郎がどうして科人に仕立て上げられなきゃならないんだ。そんな馬鹿な話があるのかい」

「大女将さん」

お縁はお香の両の腕をぎゅっと摑んだ。

「そうならないようにするために、おそらく新藤さまは私をお呼びになったのだと思います。そうでなければ定廻り同心が、誰の立ち会いも許さず、こんな風に私たちと話されるはずがありません」

中間はもとより、自身番に詰めているはずの家主や書役まで不在なのは、新藤が予《あらかじ》め言い含めていたからに違いない――娘の押し殺した声が、理に適《かな》ったその言い分が、もとより聡いお香の胸に届いた。頬の血の気は戻らないながらも、お香は不安を封じ、お縁の腕を解くと、大丈夫、というように頷いてみせた。

お香の落ち着きを認めて、お縁は障子の向こうの仙太郎にも聞こえるように、さらに声を張った。

「どうか気を確かに持って、お待ちください。仙太郎さんの無実を明らかにするよう、心を尽くして事にあたります」

「その通りだ。長年、湯灌場に立ち、多くの亡骸を見てきたお縁だからこそ、もしやすると、今の流れを変えることができるかも知れぬ」

新藤松乃輔は勢いよく腰高障子を開けると、お縁に顎で外を示す。

「行くぞ」

はい、とお縁は頷き、素早く両の膝を伸ばした。


遠州屋治兵衛の亡骸は、八丁堀の王園寺に運び込まれ、土蔵に安置されている。昨日の中間ふたりが、土蔵の入口で新藤の到着を今か今かと待ち兼ねていた。

治兵衛は筵《むしろ》ではなく綿のたっぷりと詰まった敷布団に寝かされ、頭から上質の本塩沢の単衣《ひとえ》が掛けられていた。

「お縁、存分に見てくれ」

亡骸の傍らに腰を落とし、新藤は土蔵の入口で待機しているお縁を手招きする。

ふたりの中間は中へは入らず、外から様子を見守った。

亡くなって丸一日、入梅の季節で通常ならば亡骸の腐敗が始まっているはずが、死臭は思ったほど酷くはない。冷たい雨に加え、土蔵に置かれているためだろう。巡り合わせと新藤の配慮に感謝して、お縁は新仏の枕もとに座り、懐から数珠を取り出した。数珠を手に、深く一礼して合掌する。

お縁の祈りが終わると、新藤はさっと単衣を取り払った。

初めて全身が露《あらわ》になった。まずは新仏の顔を注視する。目も口も閉じているが、鼻から体液が滲《にじ》んでいた。顔色が黄土色なのを認めて、お縁はおや、と思う。次いで、町方の手で下帯まで外された身体に目をやった。身体全体が青白く浮腫《むく》んで見える。もとより肥えてはいたが、それだけでは説明がつかない浮腫みだった。

浮腫みが強く出ている新仏の場合、硬直は殆《ほとん》ど見られない。死斑《しはん》を確かめるために、新藤の手を借りて上体を持ち上げたが、やはり組まされていた両の指は簡単に解け、腕はだらりと垂れた。背中の死斑は、濃い赤だった。

お縁は亡骸の顔に自身の顔を近づけ、まず瞼を捲って目の中を確かめ、耳と鼻を覗いた。続いて顎に手をかける。強張《こわば》りもなく、容易にその口を開けることができた。手もとが暗いことに気付いて、新藤が中間に手燭を運ばせる。ありがとうございます、と礼を言って口腔《こうこう》をよく観察し、さらに鼻を近づけて、新仏の口の臭《にお》いを嗅《か》ぐ。

「あっ」

思わず声が洩れた。微《かす》かだが、お縁の鼻は尿の臭いを嗅ぎ取った。

湯灌場で、新仏の口中に尿の臭いを嗅いだことは、これまでにも幾度かあった。お縁はそれがどんな場合だったか、思い出しつつ、丁寧に遠州屋治兵衛の手の指と爪、足の指と爪を調べていく。

お縁の様子を傍らで見守っていた新藤は、問わず語りに話し始めた。

「『無冤録述』に拠《よ》れば、毒殺の場合、目も口も開き、顔色は黒紫か青、口、目、耳、鼻から出血し、口の内側の肉は黒紫、指の爪は青、とのこと。しかしこの亡骸は、俺の見る限り、そのどれにも当たらない。それに、口の中に銀の箸《はし》を入れて調べたが、何の変化もなかったのだ」

検死の手引書『無冤録述』の毒薬死に関する記述は、虫の毒や草の毒など詳細に亘《わた》り、表裏を一枚としてたっぷり三枚半ある。それを丁寧に読み返してみたが、そのいずれにも該当しなかった、と新藤は言う。

同心の説明を黙って聞きながら、お縁は新仏の胸の掻き傷を調べる。相当に苦しかったのだろう、胸を掻き毟《むし》った痕《あと》で、両方の指の爪にも毟った皮膚が残っていた。もしも毒を口にした苦しみから掻き毟ったならば、痕が残るのは喉元から胃の腑にかけてではないだろうか。胸のみ、というのは心《しん》の臓が痛んだということになりはしないか。

再度、亡骸の口に鼻を寄せて、深く息を吸い込む。やはり尿の臭いがした。

「先ほどから口の中の臭いを随分と気にしているようだが」

何かあるのか、と新藤はお縁に問うた。

お縁は新仏から身を離して、新藤に場所を譲った。新藤は位置を移ると、お縁を真似て亡骸の口に鼻を寄せた。

「むっ」

同心は短い声を発して、傍らのお縁を顧みた。

「これは小水の臭いだな。しかし、何故、口の中からかような臭いがするのだ？」

こういう例を知っているか、と問われて、はい、とお縁は頷いた。

「いずれも腎の臓を病んでおられたかたでした。お小水の出が悪くなり、身体が浮腫み、顔色も黒ずんで見えました」

お縁の言葉に、新藤は亡骸の身体全体を注意深く眺める。

「まさに遠州屋治兵衛の状態ではないか」

新藤は中間を呼ぶと、お縁の所見を書き留めておくように命じ、折っていた膝を伸ばした。

「世話をかけた。昼飯を馳走《ちそう》しよう」

刹那《せつな》、げっ、という奇妙な声が聞こえて、お縁は振り返った。若い中間がばつが悪そうに口を押さえている。

「亡骸に触ったあと、すぐ飯が食えるようでないと、この役目は務まらんぞ」

手下のふたりに言って、さあ、と新藤はお縁を促した。


柔らかい夏牛蒡《ごぼう》をささがきにして小柱と合わせた掻き揚げが、濃い色の蕎麦汁から半身を覗かせている。振りかけた七色唐辛子が器の中に彩りを添えて、とても美しい。

お縁は箸を手にしたまま、じっと見惚《みと》れた。

ふと気付くと、並んで床几《しょうぎ》に座っていた新藤が箸を持つ手を口に当て、両の肩を揺らしていた。何が可笑《おか》しいのだろうか、とお縁は問いかける眼差しを新藤に向ける。

「お前さんは亡骸だけでなく、天麩羅蕎麦にまで慈愛の眼差しを注ぐのだな」

新藤は言って、別に注文した掻き揚げの皿をお縁の方へ押して寄越した。

「さあ、これも食べなさい」

「ありがとうございます」

応えながら、今度はお縁が笑いだした。五年前にも似たような遣り取りがあったのだ。同じことを思ったのだろう、新藤も苦笑している。

「中間には偉そうに言ったが、五年経っても、検死の後はまだ盛り蕎麦しか喉を通らんのだ。しかしまあ、お縁が出家者でなくて良かった」

掻き揚げやら鰹出汁《かつおだし》やらが口にできないのは詰まらんからな、と新藤は言って、ずずっと良い音を立てて蕎麦を啜《すす》った。

釣られてお縁も掻き揚げを口に運ぶ。冬の牛蒡とは違う、夏牛蒡の素朴で優しい味と、小柱の仄かな甘みとが舌の上で踊る。

青泉寺では正真や正念に合わせるので、殺生したものを口にする機会はまずないし、桜花堂でも気を使ってお縁には魚など出さないようにしてくれている。だからこそ、この掻き揚げの味わいは身と心に沁み入るようだ。

「遠州屋治兵衛はおそらく病死だろう」

お縁が箸を置くのを待って、新藤は単刀直入に核心を口にした。

「それもお縁の考えた通り、腎の臓の急激な悪化が心の臓を止めたと見て良い。命に関わる持病とも気付かず、しかも、なまじ娘の慶事を控えていたために、馴染みの医者に相談することで日延べなどの差し障りが出ても、と思い込んだのだろう」

同心の台詞に、お縁は両の手を組んで胸にあてがった。

良かった、これで仙太郎さんは無罪放免になる。

お縁が安堵の息を吐くのを眺め、新藤は厳しい表情で頭を振った。

「ことはもっと厄介で複雑なのだ。桜花堂の桜最中を口にした者全員が、味が変だった、と言っている。たとえ治兵衛の死因が病死と判明しても、桜花堂の最中に毒の混入があった、と疑われたままでは仙太郎を救うことはできない。死という結果に結びつかずとも、毒を用いた罪は重いからな」

そろそろ猫殺しの一件に決着を付けたい、と願っている者にとって、今回の事件はまさに好機なのだ、と新藤は結んだ。

確かに、桜花堂の最中に毒が混入していた、という疑念を払拭《ふっしょく》せねば、仙太郎も桜花堂も救われない。

最中の現物は残っていない。お縁は唇をぐっと嚙み締める。

「その場に居たひとたちが何か思い違いをしているのでは……。あるいは、何か事情があって、口裏を合わせているのでは」

「どちらもない。俺が昨日から今日にかけて、ひとりずつ話を聞いた。それぞれの話に一点の矛盾もなかったし、また、敢《あ》えて嘘《うそ》をつく理由もないのだ」

推測をあっさり否定されて、お縁は空になった膳を脇へ退《ど》け、新藤ににじり寄った。

「私をそのひとたちに会わせて頂けませんか？　おひとりずつ詳しく話を聞きたいのです」

「それは駄目だ。お縁は同心でも手下でもない。相手も応じる義理などないからな」

にべもなく断る新藤に、お縁はそれなら、とさらに迫った。

「ではせめて、遠州屋さんが亡くなられた場所を見せて頂けませんでしょうか？　そこに何か手がかりがあるかも知れません」

お縁の言い分に、なるほど、と新藤の表情が動いた。

「昨日は刻をかけて検分したが、何せ夜のことで見落としもあるだろう。再度足を運ぶつもりだが、お縁を同行させる、というのも手かも知れぬな」

よし、と新藤は言って、二人分のお代を床几に置いた。

ふたりして表へ出てみれば、いつの間にか雨は上がっており、足もとにできた水溜《みずたま》りには跳馬《ちょうま》（あめんぼ）が気持ち良さそうに浮かんでいた。

「あっ」

日本橋通り南四丁目まで戻れば、遠州屋の前に人だかりができている。お縁と新藤は顔を見合わせて先を急いだ。

人垣を掻き分けて前へ出ると、お香が遠州屋の番頭らしき男に取り縋っているのが目に飛び込んだ。

「お願いでございます。ご家族のどなたかに会わせてくださいまし。遠州屋のご主人が以前から体調のことでお悩みだったことをお伝えしたいのです」

「いい加減にしなさい。あんたの倅《せがれ》が毒を盛ったに決まってるんですよ」

怒りに任せてお香を突き倒し、さらに足蹴《あしげ》にしようとする番頭を、待て、と新藤が制した。野次馬たちは、新藤の巻羽織と朱房の十手に目を留めて騒ぎ始めた。

お縁はお香に駆け寄り、助け起こす。雨を吸った地面に転がったため、藤色の単衣は無残に汚れていた。

「大女将さん、一体どうなさったのです」

「ああ、お縁」

お香はお縁の腕を摑んで、早口で訴える。

「思い出したんだよ。遠州屋の旦那さんは、以前、『身体が浮腫んで仕方ない』と悩んでおられたのさ。娘さんの婚礼のこともあるし、その後は体調のことなど一切、話題にされなくなったから、私も触れないでいたんだよ」

お縁は咄嗟に新藤を見た。新藤は頷くと、遠州屋の奉公人たちに向かって、

「此度の一件を調べている新藤松乃輔である。茶室まで案内いたせ」

と、命じた。

昨夜のうちに見知っているからか、手代らしき男が、こちらです、と先を示した。

「お縁、付いて参れ」

店の者に言い聞かせる意味もあってか、新藤はことさら声を張る。

「お前にも聞きたいことがあるのだ」

はい、と応えて、お縁はお香の腕を優しく解く。お香は不安そうな顔を見せたが、黙ってお縁を見送った。

治兵衛の茶室には、奥庭に面した部屋があてられていた。大火のあと新たに普請したため、家自体に木の香が漂い、清々《すがすが》しい上に、雨上がりの庭の緑が目に優しい。

成木を植樹したのだろう、枝ぶりの良い松に楓《かえで》、茶樹、それに、ここからでは松に

遮られて姿がよく見えないが、もう一本、艶やかな葉を茂らせている樹が在《あ》った。

「昨夜は暗くてよく見えなかったが」

新藤は部屋の隅々まで視線を巡らせると、こうなっていたのか、と呟いた。

風炉が置かれていることと、騒動のあと部屋の隅にまとめられた茶道具を除けば、茶室というより奥座敷と呼ぶのが相応しい佇まいだ。嫁入りする娘に持たせるために用意したものだろう、「女万歳宝文庫」や「女忠教操文庫」などの書を納めた文箱が、治兵衛の心残りを伝えていた。

女の奉公人が茶と干菓子を運んできて、新藤の前にだけ置いて去った。干菓子は、棒状に伸ばして結んだ美しい有平糖《あるへいとう》である。懐紙に重ねられた有平糖には目もくれず、新藤は茶だけ一気に飲み干した。

「父は決まりごとが嫌いで、三年ほど茶道を習った末に、これからは作法に囚《とら》われず好きなように茶を飲む、と申しまして」

治兵衛亡きあと遠州屋を継ぐことになる、長男の吉兵衛《きちべえ》が肩身狭そうに応える。

「茶樹を育てて茶葉を摘み、蒸して乾燥させ臼《うす》で挽《ひ》くなど、我流で色々試しておりました。この部屋で親しい友と気ままに薄茶を点てて飲み、菓子を食べるだけで、茶会と名乗るような厳粛なものではありません」

吉兵衛の説明に、新藤は庭の茶樹に目を向ける。

「しかし、茶師の真似事までするとは、なかなかの道楽だ」

新藤の後ろに控えてふたりの遣り取りを聞いていたお縁は、薄茶に用いた茶を治兵衛が自ら臼で挽いていた、と知り、考え込んだ。

桜最中を口にする前に、全員が治兵衛の点てた薄茶を飲んでいる。やはり、その茶に何か仕掛けがあるのではないのか。

お縁は前のめりになって、吉兵衛に尋ねた。

「茶会に用いたお茶はまだ残っていますか？」

お縁が桜花堂縁《ゆかり》の者と知っているのだろう、吉兵衛はあからさまに顔を顰《しか》めた。

「新藤さまたちが昨夜、召し上がったのが最後ですよ」

残念ながら毒は入っていませんがね、と吉兵衛はそっぽを向いたまま付け加える。

まあまあ、と宥める口調で新藤は言い、治兵衛が使っていた石臼を持ってくるように命じた。奉公人任せにせず、吉兵衛自ら取りに行ったものの、なかなか戻らない。

待つ間、お縁は庭木を眺めた。桜花堂でもそうだったが、新たに植樹をする場合、そのひとの好みや考えが出る。治兵衛は松にこだわりがあるのだろう。また、茶好きとして茶樹も外せないのだ。茶摘みの時期を過ぎ、茶樹は荒々しく葉を伸ばしていた。

「ああ、そうだ、あの樹……」

お縁は縁側から奥庭へと下りた。そこにあった履き物を借り、正体の判明していない樹の傍まで行く。お縁の背より少し高さのある樹は、しなやかな枝と互生する優しい形の葉を有していた。ああ、とお縁は嬉しくなって枝を撫でる。

椿《つばき》に似た葉を持つその樹の正体は、棗《なつめ》だった。

棗は青泉寺の回りにも自生しており、お縁にも馴染みが深い。あら、とお縁は枝を撫でる手を止めた。よく見れば、その葉が随分と摘み取られた跡があった。これはどうしたことか、とお縁は考え込んだ。

摘んだのは治兵衛だろうか。

そうだとしたら、摘んだ葉をどうしたのか。

「これは棗の樹だな」

何時の間にか、傍らに新藤が立っていた。

「棗の実は旨い上に身体に良い、と聞くが」

同心の言葉に、ええ、とお縁は肯首する。

「胃腸を整えますし、余分な水を身体から出す効能が……」

言葉途中でお縁は息を呑《の》んだ。

棗の実には利尿作用がある。それなら、腎の臓の不具合で浮腫みに苦しんだ治兵衛が周囲に知られぬよう、治療に用いるために植えたのではないか。

「だが、実が生《な》るには暫くかかる」

お縁の考えを見透かして、新藤は首を捻った。ですが、とお縁は夢中で同心に迫る。

「果実にそうした効能があるのなら、葉にも薬効がある、と考えはしませんか？　実のなる季節まで待ちきれないなら、例えばその葉を煎じて試そうとは思いませんか？」

もしも、薄茶の中に棗の葉が混入していたとしたら……。

お縁の言葉に新藤は考え込む。

「しかし、お縁、棗の葉に毒はないぞ」

新藤のひと言に、お縁は下唇をぐっと嚙んだ。

父とともに放浪していた幼い頃、食べるものがなくて、手当たり次第に野の草や葉を口にした。棗の葉も食べたことがあったが、苦いばかりで、確かに毒はなかった。

だが、治兵衛の死に繫がる手掛かりは最早これしかないように思われてならない。

艶々とした棗の葉を摘んで、お縁は着物の袖で拭うと、口に入れた。嚙めば苦い味が広がる。何か名案が出ないものか、と何時までも嚙み続けた。

「おいおい、無茶をするな」

辛そうに噛み続ける姿を見かねたのか、新藤は慌てて座敷へ行き、お茶請けに出された有平糖を懐紙ごと持って戻った。

「茶は俺が飲んでしまったからな。さ、これで口を直せ」

噛んでいたものを無理にも飲み下すと、ありがとうございます、と掠《かす》れた声で応えて、お縁は有平糖をひとつ、口に含んだ。苦味を消すべく、舌の上に載せたところで、

「えっ」

と、思わず、大きな声が出た。

甘いはずの有平糖なのに、少しも味がしない。

「こ、これは……」

そんなまさか、と念のために奥歯で噛み砕いたが、やはり全く甘みを感じない。驚きのあまり、お縁は両手を自身の喉もとにあてた。

「どうした、お縁、大丈夫か」

不審に思った新藤が、お縁の顔を覗き込む。お縁は震える声で何とか応じた。

「新藤さま、味が、味が消えました」

「何」

新藤はお縁と棗の樹を交互に眺め、むんずと枝を摑むと葉を毟り取る。そして躊躇

うことなく口に放り込んだ。

青梅やぁ、かぁりかり

青梅やぁ、かぁりかり

日本橋通りを流す青梅売りの声が、番屋の奥の間まで届いて、仙太郎は耳を欹《そばだ》てる。

もう青梅の時季なのだ。桜花堂でも青梅を使った菓子を、とぼんやり考え、そんな自分を力なく嗤《わら》った。遠州屋店主毒殺の疑いをかけられ、身柄を自身番に拘束されているのに。

今日で五日、そろそろ大番屋とかいうところに移されて、厳しい詮議《せんぎ》を受けることになるのだろうか。やってもいない、という証をどう立てれば良いのか、皆目わからない。拷問にかけられて、してもいない罪を自白させられるとしたら、どうなるのか。仙太郎は頭を抱えて蹲《うずくま》った。もうお終《しま》いだ、お終いなのだ、と呻くしかなかった。

その時、障子が開いて、

「仙太郎」

と、定廻り同心の新藤が顔を覗かせた。

「出て良いぞ」

いよいよ大番屋へ移されるのだ、と仙太郎は絶望の眼差しを新藤に向ける。

その背後にお縁の姿があるのが目に映った。お縁は穏やかな笑みを浮かべて、こちらを見ていた。この状況で笑みを零すお縁が理解できず、仙太郎は混乱する。

「放免に決まった。お縁と一緒に桜花堂へ帰ってよし」

新藤の言葉に仙太郎は絶句し、事態が呑み込めずに腰が抜けて立てなくなった。

新藤は苦笑して、仙太郎に手を貸して立たせる。

「どれ、種明かしをしてやろう。こちらの部屋へ来なさい」

自身番の畳敷の部屋には塗りの盆が置かれ、桜花堂の桜最中が用意されていた。

仙太郎はお縁の隣りに座り、一体なにが始まるのか、と固唾《かたず》を飲んで新藤を見守る。

「俺が点てたので下手なものだが、まあ、我慢しろ」

前置きの上で、新藤は茶筅《ちゃせん》を放すと粗末な茶碗を仙太郎の前に差し出した。

「この茶には棗の葉を干して粉にしたものが混ぜてある」

「棗の葉?」

怪訝《けげん》な声で繰り返す仙太郎に、新藤は頷いた。

「遠州屋治兵衛がおそらくは浮腫み取りのために考案したものだ。薬代わりに碾茶《てんちゃ》に混ぜて抹茶として服用していたのだろう。本来は治兵衛だけが飲む茶のはずが、あの日、治兵衛はこの茶を、おそらくは誤って皆に振る舞ってしまったのだ」

口に含んで暫く舌の上で転がすようにして飲んでみよ、と勧められて、仙太郎はおずおずと茶碗に唇を付ける。言われた通りにして、最後はずずっと音を立てて中身を飲みきった。

器が空になったのを見て、新藤は桜最中を食べるように仙太郎に命じた。

仙太郎は盆に載せられた最中を指で摘まむと、確かに自分の店の名物であることを確かめてから、口に入れた。二度、三度と咀嚼《そしやく》して、仙太郎ははっと瞠目《どうもく》する。

「こ、これは……」

狐《きつね》につままれた様子の仙太郎に、新藤はにやにやと笑った。

「どうだ、見事に甘さが消えてしまったであろう」

「な、何故でございますか、新藤さま、一体どうして……」

仙太郎は畳に両の手をついて、新藤に迫る。新藤は盆に手を伸ばし、桜最中をひょいとひとつ摘まむと、仙太郎の鼻先へと愉《たの》しげに突き出した。

「棗の葉には、理由はわからぬが、甘みを消してしまう力があるのだ」

「甘みを消す力……」

仙太郎は桜最中を受け取って口に入れると、信じ難い、という表情で食べ進める。その様子をにやにやと見守っていた新藤だが、表情を改めて仙太郎に告げた。

「お縁の手柄なのだ。まことに、よくぞ気付いたものよ。遠州屋でも奉行所でも大騒動になった。皆に納得してもらうのに今日までかかってしまった」

消すのは甘い味のみ。他の味は消すことはないという不思議。しかも、効果は小半《こ》《はん》刻《とき》（約三十分）ほどで消えて、あとは普通に甘みを感じることができる。

「茶葉との割合はどれくらいなのか、棗の葉も茶葉と同様に蒸して乾燥させたのか、細かい点はこれから解明せねばならぬのだが、いずれにせよ、棗の葉にかような妖術《ようじゅつ》にも似た力があるとは、誰しも思いも寄らぬこと。この理を知った者たちが夢中になって試しているぞ。良い年をした奉行も与力も同心も、玩具《がんぐ》を与えられた子どものようで、あちこちの棗の樹が坊主にならぬか心配なほどだ」

愉快、愉快、と新藤は呵呵大笑《かかたいしょう》し、ひとしきり笑い転げたあと、ふと真顔になった。

「此度のことは良い経験になった。猫殺しの解決を逸《はや》る余り、捕り物に関わる者たちは皆、大きな誤りを犯すところだったのだ。これは冤罪《えんざい》の歯止めにもなるだろう」

まあ、この手で真の猫殺しを捕えるまで手は抜かぬがな、と定廻り同心は腰の十手をぽんぽんと叩いてみせた。

新藤と家主に送られて番屋の外へ出ると、日本橋は相変わらずのひとの往来があった。麻の裃《かみしも》で畏《かしこ》まった表情の武士、芝居見物か華やかな装いの商家の女房と奉公人、相撲取り、団扇《うちわ》売り等々が橋から日本橋通りを目指す。大火から一年、ひとびとは内に痛みや悲しみを秘め、それでも何とか立ち上がりつつあった。大切なひとの喪失を易々と埋めることはできなくとも、残された命を懸命に生きることで、亡きひとの思いに応えていくしかない。

お縁は、治兵衛を喪った遠州屋のひとびとを想う。殊に、その娘の悲痛を想いやった。そっと神仏の加護を願って、顔を上げて天を仰いだ。頭上には、梅雨を忘れたような青空が広がっている。

心地よい風が、皆の頰を撫でて過ぎる。

「青葉風だな」

気持ち良さそうに言って、新藤は大きく伸びをした。

「新藤さま、本当にありがとうございました」

身を屈め、深く首を垂れる仙太郎に、礼ならお縁に言え、と新藤は大らかに笑う。

桜花堂へと急く心を制して、弾む足取りで仙太郎は歩きだした。お縁は新藤と家主に幾度もお辞儀をして、仙太郎のあとを追いかける。お縁の気持ちを代弁するように、後ろでひとつにまとめた髪が揺れていた。

「お縁」

少し行ったところで、背後の新藤に名を呼ばれて、お縁はくるりと振り返った。

燕《つばめ》のような仕草だ、と新藤は呟き、今度は大きく声を放った。

「お前、いい女だな。うん、いい女だ」

嫌味のない称賛に、道行くひとびとが足を止めて、定廻り同心と娘を温かく見守る。

新藤さま、とお縁はくすくすと笑って、こう応じた。

「昔、てまりさんにも同じ台詞を仰ってましたよ」

青梅の芳香の混じった青葉風に乗って、一羽の燕が日本橋通りを北から南へ、一直線に飛んでいく。

夢の浮橋

小暑《しょうしょ》を過ぎたばかりだというのに、今夏の暑さは容赦がない。

じりじりと油が撥《は》ねる音に似た油蟬《あぶらぜみ》の鳴き声が、苛々《いらいら》するほど暑苦しい。犬はだらしなく舌を出して歩き、ひとも乏しい日陰を選んで歩く。一時は鳴りを潜めていた、絵日傘《えひがさ》と呼ばれる美しい彩色を施した傘を差す者も、多く見受けられる。

強い陽射《ひざ》しで白茶けた日本橋通りに、各店の奉公人がせっせと水を打って通行人に涼を送っていた。

「ふう、暑い暑い」

お香が、手拭《てぬぐ》いで額の汗を押さえる。お縁を連れて、室町《むろまち》の上客に菓子を届けた帰り道だった。

「こうも暑いと身体《からだ》の方が参っちまう。どうだい、お縁、ちょいと寄り道して、心太《ところてん》でも食べて帰らないかい？」

傍らの娘に声をかけたが、返事がない。首を捩《ね》じって様子を見れば、お縁は心ここに在《あ》らず、という体で思案に暮れている。

お縁、と再度呼びかけようとして、お香は留《とど》まった。娘の頭を占める悩みに察しがついたし、下手に聞きだすことで、厄介な方へ話がいくことを恐れたがゆえだった。

「えい、喧《やかま》しい」

怒声が響いて、お縁ははっと我に返る。何事かと見れば、片柱に留《と》まって賑《にぎ》やかに鳴く油蟬を、木戸番が腹いせのように棒切れで叩《たた》き落としたのだ。

「暑いからね、皆、短気にもなるのさ」

慰めるように言って、さぁ帰ろう、とお香は娘を優しく促す。

はい、とお縁は頷《うなず》いて、風呂敷を胸に深く抱え直した。

酷暑の夏と、極寒の冬。ひとが立て続けに死ぬのは、このふたつだ。小暑から大暑へと徐々に暑くなるなら身体も慣れる。しかし、生き物の身体から水気を絞るに近い暑さが急に来て、それが続く今夏、病人や年寄りはひとたまりもないだろう。

お縁は北西の天へそっと目を向ける。その先に下落合はあった。

青泉寺の火屋《ひや》から煙の棚引かぬ日は一日としてないに違いない。正真や正念、それに市次、仁平、三太たちが多忙を極めていると思うと、ここで呑気《のんき》に毎日を過ごしていることが、お縁には申し訳なくてならない。

一日で良いから、様子を見に戻りたい――幾度もそう口にしかけて、思い留まっている。それはひとえに、お香の気持ちを慮《おもんぱか》ってのことだった。弥生《やよい》、卯月《うづき》、皐月《さつき》とともに過ごして、早や水無月《みなづき》。青泉寺へ戻る目安の長月《ながつき》朔日まで、たっぷりと月日が残されているわけではない。せめてその間は、とお縁は重い足取りでお香に続いた。

「大女将《おおおかみ》さん、お縁さん」

桜花堂の前を掃除していたお玉が、ふたりの姿を認めて、走り寄った。

「新藤さまがお見えです」

今、奥で旦那《だんな》さんと話しておられます、とお玉は浮き浮きと告げる。

定廻《じょうまわ》り同心は熟練を要する役職ゆえに、大概、四十五から五十過ぎ、と年齢が高い。それでも三つ紋付きの黒羽織の裾《すそ》を帯に巻き込み、刃引きの長脇差《ながわきざし》一本を腰に挿《さ》し、着流しに雪駄履きという格好が粋《いき》で、江戸庶民にとっての花形だった。南町北町の両奉行所合わせて十二名いる定廻り同心の中で、最も若い新藤は、気さくな人柄も相俟《あいま》って庶民の間でひときわ人気が高いのだそうな。

街の視察と犯人検挙のために各自身番を廻る定廻り同心には、通常、中間《ちゅうげん》や小者《こもの》など三、四人が同行する。しかし、新藤は大所帯を嫌ってか、桜花堂を訪ねる時、非番を装い、決まってひとりだった。

「おや、またかい？」

嬉《うれ》しそうなお玉とは正反対に、やれやれ、とお香は弱った風に頭《かぶり》を振った。

「おお、お縁、待ち兼ねたぞ」

所在無げに茶を啜《すす》っていた新藤が、現れたお縁を見て相好を崩した。

「新藤さま、ご無礼を承知の上で申し上げます」

先にお香が新藤の脇に両膝《ひざ》を揃《そろ》えて座り、

「うちのお縁を厄介ごとに巻き込むのは、お止《や》めくださいませ。新藤さまのお手伝いをさせるために、私はこの娘を預かっているわけではござりませぬ」

と、厳しい表情で一気に捲《まく》し立てる。

これはこれは、と新藤は茶碗《ちゃわん》を放し、参った、とでも言いたげに、右の掌《てのひら》を小銀杏《こいちょう》に結った頭に置いた。例の遠州屋の一件以来、何かとお縁に意見を求めるようになっていたのだ。

新藤の窮地を救ったのは、傍らに控えていた仙太郎だった。

まあまあ、お母さん、とお香の背中に優しく手を添えて、

「来月の盂蘭盆《うらぼん》に、ちょいと考えていることがあるんですよ。向こうで相談に乗ってもらえませんか？」

と、言葉巧みに連れだしてくれたのだ。

親子が店の方へと行ってしまうと、新藤は縁側に座ったまま、ひぃふぅみぃ、と指を折り始めた。数え終えて、ああ、と呻《うめ》く。

「このひと月の間に、検死の結果を持ち込んで、お縁に意見を聞いたのが一回。病死の場合の所見を尋ねたのが一回。薬草、毒草の話を聞きに来たのは三回、否、四回か。いやぁ、参った。確かに俺はお縁を頼りにし過ぎている」

情けない表情で天を仰ぐ新藤が可笑《おか》しくて、お縁は笑いながら両の膝をついた。

「今日はどうなさいましたか？」

お縁がそう水を向けると、新藤はほっとした声で、教えてくれるのか、済まん、と軽く頭を下げてみせた。

「下痢と糞詰《ふんづ》まり、正反対の症状に同じ薬草が効く、ということはあるだろうか？

何人もの薬種商から話は聞いたが、利権が絡むゆえ、万が一、陰で口裏を合わせていても、と思い、お縁に尋ねるのだ」

それは、とお縁はにこやかに答える。

「『現《げん》の証拠』という薬草です。さっと煎《せん》じて飲むと下剤になり、じっくり煎じたものは下痢止めになるのです。煎じ方で逆の効能が得られる珍しい薬草なんですよ」

娘の即答に、やはりそうか、と新藤は頷く。

「では、さらに問う。病人が飲めば薬となり、健やかな者が飲めば毒となるようなものはあるだろうか？」

同心の問いに、今度は少し考え、お縁は言葉を選びつつ返答する。

「確か、鳥兜《とりかぶと》の根は烏頭《うず》と呼ばれる薬で、虚弱なひとには効くけれど、元気なひとだと中毒を起こす、と聞いたことがあります。ただし、鳥兜は元来猛毒ですから、私は決して扱いません。毒を薬として用いることは、熟練した医師でなければ無理です」

お縁の答えは新藤を納得させたようだった。なるほどな、と満足そうに呟《つぶや》くと、新藤は再び茶碗に手を伸ばし、中身をぐっと干す。

「しかし、お縁はどうして、それほどまでに薬草に詳しいのか」

「青泉寺で教わったのです」

お縁は、少し声を落とした。

青泉寺の正念は博識だが、薬草についても実に詳しい。寺の周辺で野草を摘んでは、まだお縁が幼い頃から、色々な知識を分け与えてくれた。今、それがどれほど役に立っているか知れない。それなのに、一番忙しい時に寺を離れ、自分ひとりが楽をしている。お縁にはそれが堪《たま》らなかった。

娘の様子をじっと眺めていた新藤だが、徐《おもむろ》に、どれ、と縁側から腰を浮かせた。

「小腹が減った。お縁、付き合え」

外濠《そとぼり》沿いに鍛冶《かじ》橋の方へと向かう新藤のあとに付いて歩き、お縁は額から流れ落ちる汗を着物の袖《そで》で拭《ぬぐ》った。水面をなぞった風は生ぬるく、ふたりの間を吹き抜ける。

「桜花堂の大女将、あれは武家の出だな」

同心の不意のひと言に、お縁の足は止まった。だが、新藤は気にする素振《そぶ》りも見せず先へ先へと進んでいく。動揺を隠して、お縁はともかくも小走りで男を追った。

「もとよりそうではないか、と思っていたが、先ほど確信したのだ。普段は歯切れの良い商家のかみさんの話し方だが、お縁を庇《かば》おうとする時、言葉遣いが変わった」

出自は隠しきれるものではないからな、と新藤はお縁を顧みることなく淡々と告げた。同心がそれ以上、お香の過去を暴くつもりがないことを察して、お縁は安堵《あんど》する。

南鍛冶町の稲荷《いなり》社傍《そば》の茶屋の前で新藤は足を止めた。葦簀《よしず》張りの簡素な店だ。床几《しょうぎ》に客の姿はない。

「ここの心太《ところてん》が旨《うま》いのだ」

新藤の声が聞こえたのだろう、中から店主が汗を拭いつつ顔を出した。

「相済みません、今日はもう全部出ちまって」

何せ、この暑さなもんで、と頭を下げる。

当てが外れて、新藤はやれやれ、と頭を振る。冷えた麦湯も置いていない、と聞き、仕方なく茶だけを頼んで、お縁に床几を勧めた。

「お縁はどうして桜花堂へ身を寄せる気になった」

店主が茶碗をふたつ床几に置いて、店の奥に姿を消すや否や、新藤は切り出した。

「以前、青泉寺の住職がお縁に広く世の中を見るように、と助言したと聞いた。しかし、身を寄せる先なら幾らでもありそうだが、そもそも、何故《なにゆえ》に桜花堂なのか」

同心の問いに答えあぐねて、お縁は俯《うつむ》くしかない。

「大女将と血の繋《つな》がりがあるからか？」

重ねて問われて、お縁は驚愕《きょうがく》のあまり身を強張《こわば》らせる。

戦《おのの》く娘を柔らかく見て、新藤はほろ苦く笑った。

「先ほど出自は隠せない、と言ったであろう。それに大女将とお縁は面差しが似ている。だからと言って、余計な詮索《せんさく》をする気もない。お縁が桜花堂に居てくれるので、あれこれ聞けて助かる。俺はただそう思っているだけだ」

言葉通り、新藤はお縁にそれ以上何も問わず、のんびりと茶を啜っている。

お縁も漸く、ゆっくりと茶を味わった。熱い茶を胃の腑《ふ》に納めることで、逆にすっと身体が涼しくなる。同じことを思ったのだろう、新藤もほっと吐息をついた。

その横顔を眺めて、お縁はふと、新藤になら話しても良い、と思う。

「母なのです。事情があって幼い時に別れ、偶然が重なって巡り逢《あ》いました」

お縁の言葉に、新藤は一瞬、茶碗から口を離したが、何も言わず、お縁の方も見ず、ただ黙って話を聞く姿勢をみせた。それゆえ、お縁は素直に続けられた。

お香から、子を愛《いと》しいと思う気持ちを育《はぐく》めなかった、と打ち明けられたこと。そのひと言が今なお自身の心の底に氷のように固まって沈んでいること。

不義密通という事実を伏せるため、言葉足らずになるお縁に、しかし、新藤は口を差し挟まず、じっと耳を傾ける。

「我が身に起こることには意味がある——あるひとからそう教わりました。もう二度とまみえることもない、と思っていた母と巡り逢ってしまった。その意味を知りたい、と思って、半年の間、桜花堂へ身を寄せることにしたのです」

娘の胸の内を全《すべ》て聞き終えると、新藤は、なるほどな、と呟いた。

「どのような事情で別れたのかは知らぬ。だが、少なくとも今は、娘を心から愛しく思っていることは、傍《はた》から見ていても明らかだ。母親はもうお縁を手放したくはないだろう。青泉寺に戻る、という選択は難しいかも知れぬな」

「それは……」

お縁は言葉に詰まり、黙り込んだ。

半年経てば青泉寺に帰れる。そう思って、寺の様子を案じ、不義理に胸を痛めつつも、今は桜花堂に身を置いているのだ。けれど、新藤の言う通り、おそらくお香はお縁にずっと傍に居てほしい、と願うだろう。たとえそれがお縁の本意ではないにせよ、お香の懇願を振り払えるのか、と問われると、とても難しいようにも思われた。

会話が絶え、暫くは道を行くひとの下駄の音だけが続いた。ふと、新藤はと見れば、手拭いで銀の箸《はし》を熱心に磨いている。

お縁が読んだ「無冤録述《むえんろくじゅつ》」では、毒殺の有無を調べる際には銀釵《ぎんさい》を用いよ、と記されていた。銀釵とは即《すなわ》ち銀製の簪《かんざし》のことだ。要は銀製というのが重要であって、必ずしも簪である必要はない。敢《あ》えて箸を用いているのが新藤らしかった。

自分に注がれるお縁の視線に気付いたのか、新藤はお縁をちらりと見て、楽しげに箸の手入れを続ける。

「青泉寺へ戻りたい、と願うのは何故か？　墓寺《はかでら》の何処《どこ》が、お縁をそこまで惹《ひ》きつけるのだ？　若い女ならば美しい着物やら芝居やら、惚《ほ》れた男のことで頭が一杯になるものだと思うのだがな」

お縁を見ていると不思議で仕方がない、と新藤は愉快そうに話す。

「しかしまぁ、所帯を持って齢《とし》を重ねたなら、女は別の生き物になってしまう。頭の中は日々の遣《や》り繰りや家族の世話で一杯で、横になれば鼾《いびき》もかくし、音はせずともこっそりと屁《へ》もひる。乙女の姿など何処《どこ》にも留めぬぞ。俺の女房などまさにそれだ」

新藤が身内の話をするのは初めてだった。こちらの気持ちを解《ほぐ》そうとしてのことだろうが、言葉の端々に妻への情が滲《にじ》む。お縁は、ふっと柔らかに口もとを緩めた。

「新藤さま、お幸せなのですね」

お縁に言われて、いやぁ、と新藤は柄にもなく照れた。

「俺は、『女は嫁いで子を産んで一人前』などと野暮なことは言わぬ」

ただなあ、と新藤は長閑《のど》やかに続ける。

「お縁、ひとに惚れる、ってのも良いもんだぞ。物言わぬ骸《むくろ》ではなく、血の通った相手に目を向けることも忘れるなよ」

新藤はそう結んで、二人分の茶代を床几に置いた。

春に植えた栗《くり》の苗木は、暑さにも負けずに機嫌よく育ってくれていた。

お縁は毎朝、米のとぎ汁を分けてもらって、根もとにかけてやる。実が生《な》るのを見ることは叶《かな》わなくとも、丈夫に育っておくれ、と声をかけるのも日々の楽しみだった。

新藤に打ち明け話をした翌朝、お縁はいつものように白水《しろみず》の入った桶《おけ》を手に、台所から庭へ回った。栗の樹《き》の方へと向けた足が、ふいに止まる。

こちらに背を向けて、お染が桜の苗木の前に蹲《うずくま》っていた。その背中が如何《いか》にも心細げで、泣いているようにお縁の目には映った。お染にとって見られたくない場面に出くわしてしまった気まずさを覚え、足音を忍ばせて後ろに下がる。

当初はことあるごとに「屍洗《かばね》い」と罵《ののし》ったお染だったが、遠州屋の一件があって以降は、お縁にあからさまに当たることはなくなった。ただ、仙太郎との夫婦仲が上手《うま》く行っていないことは、ひとつ屋根の下で暮らす者たちには何とはなしに察せられる。仙太郎は体面を気遣ってか、表には出さぬようにしているが、お染とは寝所を分けて、ふたりきりになるのを極力避けているのだ。

――菓子屋になんて嫁ぐんじゃなかった

――向かないのよ、私には。菓子も、それに奉公人を束ねることにも

いつぞや耳にしたお染の独り言が耳の奥に蘇《よみがえ》って、お縁は切ない気持ちになる。同じ屋根の下で暮らしながら、心を許せるひともなく、自分だけが孤立するのだとした

ら、どれほど心細いことだろうか。

だからと言って、何か手立てはあるのか、と自問しても答えは出ない。お縁はお染の方へ小さく頭を下げて、その場を離れた。

「お縁さん」

台所を覗《のぞ》いて、仙太郎がお縁を呼んだ。

「遠州屋さんから桜最中《さくらもなか》をご注文頂いているのですが、一緒に行って頂けますか?」

鍋を洗っていたお縁は、はい、と頷いて前掛けを外す。

仙太郎の無実が判明したあと、遠州屋の跡取りの吉兵衛は、事態をうやむやにはせず、主《あるじ》としてきちんと桜花堂に詫《わ》びを入れている。治兵衛の愛娘の婚礼は、故人の意を汲んで忌明けには執り行われる運びとなり、菓子の注文も吉兵衛との間で引き継がれた、と聞く。

今回は、亡き治兵衛の好物だった桜最中を仏前に供えたい、との依頼だった。

風呂敷に包んだ桜最中を仙太郎が持って先に立ち、お縁はそのあとをついて行く。

夏の陽射しが肌を貫き、少しの距離でも汗が噴いて出た。お縁はつい、単衣《ひとえ》の袖《そで》で顔の汗を拭った。振り返った仙太郎がそれを認めて、柔らかく笑う。

「着物が泣いていますよ、お縁さん」

「済みません、子どもの頃からの癖が抜けなくて」

耳まで朱に染まるお縁を眺めて、可愛《かわい》いひとだ、と仙太郎はほのぼのと呟いた。

店の表を掃いていた遠州屋の小僧がふたりに気付いて、来店を知らせに中へと駆け込んだ。仙太郎とお縁を迎え入れるために、吉兵衛自ら、暖簾《のれん》を捲《めく》って現れた。

「仙太郎さん、お縁さん、その節は色々と申し訳ございませんでした」

店先ではなく、奥座敷に通されたふたりは、店主の丁重な詫びの言葉に恐縮する。

「もうその話はどうか……。私どもの方こそ、以前と変わりのないご愛顧に、どれほど感謝しても足りないほどです」

口上とともに、仙太郎は風呂敷を解いて、中の重箱を差し出した。

受け渡しが終わると、今度は仙太郎から吉兵衛に問いかける。

「お願いしていた件、どのようになりましたでしょうか？」

吉兵衛は忽《たちま》ち破顔して、

「はい、あれこれご用意させて頂きました。まずは、ご覧ください」

と答えて、ぱんぱん、と音高く手を打ち鳴らした。

合図を待ち構えていたのか、遠州屋の奉公人たちが反物を抱えて現れる。

何事が始まるのだろう、とお縁はぼんやりと眺めていた。

敷物の上に並べられた反物をひとつ手に取って広げ、吉兵衛は仙太郎に示す。

「お縁さんには上品な柄が似合いますよ。これなど如何《いかが》でしょう」

空色の紗紬《しゃつむぎ》、花と唐草模様の反物だった。

「旦那さま、こちらもお薦めになってくださいまし」

番頭らしき男が絹上布《きぬじょうふ》の反物を広げてみせる。涼しげな塩沢紬、柳《やなぎ》に燕《つばめ》の柄が愛らしい。失礼しますよ、と男はそれをお縁の顔の傍へ寄せた。

ほう、と仙太郎は感嘆の声を洩《も》らす。

「確かにお縁さんによく映る。これだと帯はどうなりますか」

「仙太郎さん、遠州屋さん」

お縁は背を反らして反物から顔を遠ざけ、仙太郎と吉兵衛に問うた。

「これは一体、どういうことでしょうか?」

お縁の動揺に、仙太郎と吉兵衛は視線を交えて朗らかに笑う。

「私を救ってくれたお縁さんに、何かお礼を、とずっと考えていたのですよ。それで遠州屋さんに相談して、お縁さんに晴れ着を一枚、贈らせて頂こうと思いましてね」

「若い娘さんにとって、晴れ着を仕立てるほど心弾むことはありませんからねぇ」

お気に入りの反物が見つかるまで、じっくり見てください、と吉兵衛も言い添えた。

即座にお縁は両の手を畳に移して、

「どうかもう、このようなことはお許しくださいませ。私は御仏《みほとけ》に仕える身、過ぎた贅沢《ぜいたく》はできないのです」

と、額を畳に擦《こす》りつけた。

呉服商で仕立てた着物を纏《まと》うことが赦《ゆる》されるのは財を成した者のみ。庶民は古着屋で調達するか、譲り受けたものを解いて身の丈に合うよう縫い直すか。贅沢したとしても、せいぜいが太物の反物を買って自分で仕立てるか、なのだ。お縁にすれば、到底、受け容《い》れられる話ではない。

お縁さん、と吉兵衛は呼んで、優しく助言する。

「それではせっかくの仙太郎さんのお気持ちを無駄にしますよ。それにお縁さんは出家をされておられるわけではないのですし、桜花堂に居られる間は、そう頑《かたく》なにお考えになる必要もないと思いますがねぇ」

「そうですとも」

燕の柄の反物を手に、仙太郎も熱心に頼み込む。

「お縁さんの晴れ着の一枚くらいで、うちの身代は揺るぎはしませんよ。どうか気持ちょく、受け取ってください」

しかし、どう口説かれても、お縁の考えが翻ることはなかった。

それじゃあ何かい、と中座敷でお香の声がしている。

奉公人は店の仕事や夕餉《ゆうげ》の仕度で出払っていて手が足りず、お縁はひとりで廊下を乾拭《からぶ》きしていた。

「結局、お縁は晴れ着を仕立てるのを断ったのかい」

吐息交じりのお香の台詞《せりふ》に、ええ、と応じているのは仙太郎のようだ。

「せめて太物で何か、という申し出もすっぱり断られてしまいました。欲がないにもほどがありますねぇ。お染とはえらい違いですよ」

中座敷での遣《や》り取りは、聴きたくなくともお縁の耳に届く。お縁は場所を移ろうと、音のしないよう立ち上がった。

「あっ」

身体の向きを変えた時、そこに居るひととぶつかりそうになって、お縁は小さく声を洩らした。険しい顔つきをしたお染が佇《たたず》んでいたのだ。

お染とお縁は声もなく互いを見合う。廊下でふたりが対峙《たいじ》していることに気付きもせず、中座敷ではのんびりした会話が続いていた。

「今、お縁が着ている夏物は、私の古着を仕立て直してやったものなんだよ。何とかして、もっと良いものを着せてやりたいのだけれどねぇ」

「あれがお染なら、晴れ着の一枚では済んでいませんからねぇ。同じ女でも、どうしてああも違うんでしょうか」

仙太郎の言葉が終わるや否や、お染はお縁を突き飛ばすようにして中座敷へと乗り込んだ。

「こんな女で悪うございましたね。もう充分です。これっきり、お暇を頂きます」

震える声を振り絞り、お染はそのまま座敷を抜けて縁側から裏庭に下りると、何も持たずに飛び出していった。お染、お染、と仙太郎は呼び、慌ててあとを追いかける。下駄の鳴る音が重なって遠のいていく。

「お縁」

中座敷の敷居に控えている娘に気付いて、お香が弱った風に首を振った。

「みっともないところを見せちまったね」

早晩こうなることはわかってたんだがねぇ、とお香は吐息交じりに零した。

仙太郎とお染の間でどのような遣り取りがあったのかは伏せられたまま、その日のうちに大番頭の忠七に付き添われ、静養の名目でお染は深川黒江町の生家へ戻されたのだった。

抗《あらが》い難い暑さに困憊《こんぱい》しつつ、大暑をやり過ごし、名越《なごし》の祓《はら》いも済ませて、どうにか文月《ふづき》を迎えた。

桜花堂では主家族も奉公人も、申し合わせたようにお染のことを口にしない。ごく希《まれ》に尋ねるお客も居たが、「気鬱《きうつ》の病の静養のため」とのお香の説明を疑う者はなかった。

「色紙で何を作ろうか」

「あたし、鬼灯《ほおずき》を作りたいです」

「お玉は不器用だから無理だって」

台所の方で、下働きの女たちが七夕飾りの相談をしている。

中座敷で色紙を短冊に切っていたお縁は、ふと顔を上げて台所へと耳を澄ませる。

うふふ、と娘たちの屈託のない笑い声が洩れ聞こえるのが微笑《ほほえ》ましかった。

「お染が抜けてから、皆、よく笑うようになったこと」

文机《ふづくえ》に向かって墨を磨《す》っていたお香が、傍らのお縁を見て頬《ほお》を柔らかに緩める。

どう応《こた》えて良いかわからず、お縁は口を噤《つぐ》んだまま、視線をお香から手もとの短冊へと移した。たとえ嫁姑《しゅうとめ》の確執があったとしても、お香の口からお染の不在を喜ぶような話を聞きたくはなかった。

黙り込んで色紙を切り続ける娘のことを、お香は暫くじっと眺めていたが、ふいに、

「お縁は優しくて、それに性根の真《ま》っ直《す》ぐな娘だねえ」

と、呟いた。

風の通り道を作るべく、仏間と中座敷を隔てる襖《ふすま》を開け放っているため、庭からさっと風が抜けた。短冊が飛ばされそうになって、お縁は慌てて両腕で短冊を押さえた。それでも二枚ほど、ひらりと文机の下へ舞い落ちた。それを拾い上げて、お香はお縁に差し出す。ありがとうございます、と礼を言ってお縁は短冊を受け取った。

硯《すずり》に向き直ったお香は、何を思い出したのか、ほろりと苦そうに笑った。

「仙太郎に日本橋の店《たな》を任せる、と決めた時に、身を固めさせよう、と旦那さまが……佐平が嫁取りを決めたのさ」

墨を磨りながら、お香は問わず語りに話し続ける。

「深川の、ちょっとは名の知れた船宿の末娘で、鼻っ柱は強いが、店の女将になるには良いだろう、ってね。気の強いお染と、優しい仙太郎はそれなりに良い夫婦だった

と思う。そりゃあお染は私が気に入らず、何かと蔑《さげす》んでいたけれど、佐平にきつく叱《しか》られてからは大人しくなった。お互い気は合わないし、嫁姑の諍《いさか》いはあるけれど、それは多分、どの家でもそうさ」

ふっと手を止めて、お香は深々と溜息《ためいき》をついた。

「夫婦の間に子どもでも居れば、また違ってたと思うんだよ。そうすれば、仙太郎もお染も私も、もう少し遣り様があったと思うのさ。けどねえ、所帯を持って十一年、もう望めないだろう」

言ってもせんないことだけどね、とお香は寂しそうに結んだ。

子どもとは、さほどに重い存在なのでしょうか。

子は鎹《かすがい》、という言葉が本当なら、何故、あなたは易々《やすやす》と私を捨てたのでしょうか。子を愛しいと思う気持ちを育めなかった、と仰ったのは、紛れもなくご自身ではなかったのですか。

目の前の実母にそう尋ねたくなる気持ちを封じ、

「台所の方を見て来ますね」

とだけ伝えて、お縁は中座敷を抜けだした。

廊下に出ると、襖の陰に身を置いて、そっと右の掌を胸にあてがう。

この胸の奥に、溶けない氷の塊があるのだ。どうしても溶けない氷の塊が。子どもを捨てねばならなかった母の葛藤《かっとう》や苦しみ、そして悲しみ。そうしたものを、慮れる齢になった。母の幸せを願う、その気持ちに嘘《うそ》はない。それでもなお、自分はまだ捨てられたという事実に囚《とら》われている。もしも一生、囚われ続けるとしたら……。

お縁は懐に手を入れて、中のものを取り出した。木槵子《もくげんじ》の数珠だった。

どうか御慈悲を、どうかお救い下さいませ、とお縁は数珠を握りしめた。

七夕の前日には、近隣総出で江戸中の井戸の水を汲《く》み上げ、底を浚《さら》って洗い清め、一年の汚れを流す。そうして清らかな井戸水に天の川を映すことで、七夕を迎えるのが習いだった。

葉付きの青竹に願いを記した短冊や、西瓜《すいか》や瓢箪《ひょうたん》を模して切り抜いた色紙、数珠繋ぎにした鬼灯などを結びつけ、さらに竹を接ぐだけ接いで、屋根より高く立て、七夕飾りとする。殊に日本橋界隈《かいわい》では昨年の大火からの、さらなる復興を願い、どの店も高さを競って、七夕飾りを立てた。風にあおられて竹がしなり、色紙や飾り物がなびくさまはとても美しく、日本橋通りを行くひとびとは、ずっと天を仰いで歩くことになる。お縁も、眩《まぶ》しいのを忘れて、うっとりと空を見上げて歩いた。

「お縁さん、たまには前を見ないと危ないですよ」

仙太郎が足を止め、傍らのお縁を見て和やかに笑っている。いつもは少し前を歩くのに、今日はお縁と肩を並べる仙太郎だった。

そうですね、とお縁は恥ずかしそうに身を竦《すく》めた。今日は暑気あたりで寝込んだお香の代わりに、お縁が仙太郎とともに浅草の顧客に挨拶《あいさつ》に行くことになっていた。

「大火のあと、墓地では卒塔婆《そとば》ではなく石塔が増えましたね」

浅草まで辿《たど》り着いた時、寺の前を通りながら、仙太郎が何気なく口にした。

ええ、とお縁は頷く。

「裕福な庶民が石塔を建てるようになったのは少し前からだそうですが、先祖の菩提《ぼだい》を弔うためというより、夫が妻のために建立《こんりゅう》を願った、と聞いたことがあります」

妻のために、と仙太郎は繰り返し、理解しかねる、とばかりに首を捻《ひね》った。

「家名が命の武家は、家の先祖が最も大事ですよね。庶民はどうして家ではなく妻なのでしょうか」

もちろん庶民もご先祖様を蔑《ないがし》ろにしているわけでは決してないのですが、とお縁は言葉を選びつつ、答える。

「お釈迦《しゃか》様の教義の捉《とら》え方は様々で、中に、女身のままで往生は叶《かな》わない、との考えが流布した時代があったそうです。妻のための石塔は、女人救済の願いを込めたもの、と教わりました」

先祖よりも誰よりも、縁あって夫婦となり、ともに生き、支えてくれた妻に報いたい。往生するなら一緒に。そんな夫の願いがあっての石塔だった。

「そうですか、夫が妻の往生を願って……」

仙太郎は言葉途中で、墓地の真新しい石塔に目を向け、考え込んだ。

上客への挨拶を終えて、七夕の情景の中、刻《とき》をかけて日本橋へと戻る。白木の美しい橋を渡れば高札場。木戸の内側の自身番には、苦い思い出が宿る。

「お縁さん、ちょっと」

歩みを早めるお縁を呼んで、仙太郎は自身番から二軒ほど先の店の前で止まった。用があるらしい仙太郎に続いて暖簾を捲って入れば、店内は金や銀、赤や黄など艶《あで》やかな彩りに満ちていた。櫛《くし》に簪、笄《こうがい》に元結《もとゆい》等を商っている店だった。

若い女客で賑わう店の端にお縁を誘って、仙太郎は懇願する。

「晴れ着は拒まれてしまったけれど、せめてお礼に何か贈らせてください」

「いえ、私は」

お縁は小さく頭を振り、店を出ようとした。その腕を仙太郎がさっと捉《つか》まえる。

思いがけず強い力で、お縁は簡単に引き戻され、転倒しそうになるところを、仙太郎の胸で受け止められた。

「娘さん、あまり殿方に恥を掻《か》かせるものではありません」

先刻より見ていたのだろう、ひとの良さそうな手代が控えめに話しかける。

「笄や簪などではなくとも、例えば柘植《つげ》の櫛なら、派手でなく、髪のために良いし、長く使えます。絹糸で櫛目を掃除して、椿油《つばきあぶら》で手入れをすれば、お婆《ばあ》さんになるまでご愛用頂けますよ」

こちらさまはきっと、そういうのを差し上げたいのでしょう、と手代が棚を示した。

周囲のお客らがお縁に好奇の目を向けている。尼そぎの髪を後ろでひとつに結んだ姿は、島田髷《まげ》や勝山髷など気合の入った髪形の女客の中では却って目立った。

「さあ、どれでもお手に取ってご覧くださいまし」

お縁の困惑には気付かぬ振りを通して、手代はなおも熱心に勧める。

柘植の櫛ならば、湯灌場《ゆかんば》で用いるため、すでに持っていた。しかし、お縁は早く解放されたい一心で、一番小さくて、目の粗い柘植の櫛を選ぶ。あとの支払いを仙太郎に任せて、逃げるように店を出た。

「お縁さん、待ってください」

支払いを済ませた仙太郎が、瞬《また》く間にお縁に追いついて、息を弾ませる。

「済みません、仙太郎さん」

お縁は手にした櫛を示し、ありがとうございます、と深くお辞儀をした。

貸して、と仙太郎は言ってお縁の手から慎ましい櫛を取ると、まだ頭を下げている娘の元結の根もとにぐっと差し入れた。

お縁は狼狽《うろた》えて、落ちますから、と櫛を外そうとした。その手を仙太郎が押さえる。

「落ちて失《な》くしたら、また新しいのを贈ります。どうしても、お縁さんの身に付けて頂きたいのですよ」

仙太郎の眼差《まなざ》しにそれまでにない熱を感じて、お縁は戸惑うばかりだった。


お染不在のまま、盂蘭盆会《え》を迎えた。

十三日の日暮れに、お縁はお香と仙太郎とともに、桜花堂の前で迎え火を焚《た》いて、佐平や先祖の霊を迎え、三日精進を守って過ごす。そうして迎えた十六日、常ならば早朝に焚く送り火を、お香の申し出で、日暮れにずらすこととなった。

藪入《やぶい》りでもあるこの日、桜花堂の奉公人らは骨休みを許され、久々に親元へ帰ったり、連れだって遊びに出かけたりして思い思いに過ごすのだ。朝餉《あさげ》を終えると、それぞれ真新しいお仕着せと少しばかりの小遣いを主から受け取って、浮き立つ足取りで桜花堂を出ていった。

「奉公人が居ないと、静かですね」

仏間を覗いて、仙太郎が声をかける。丁度、お香とお縁とがおがらを折っているところだった。

私も手伝います、と仙太郎も加わり、お縁の手からふたつに折ったものを受け取る。

「たまには家族だけで過ごすのも、落ち着くものだねぇ」

よもやこんな日が来るとは夢にも思わなかったけれど、とたおやかに笑んで、お香は仙太郎とお縁を交互に見た。

佐平の位牌《いはい》の前に置かれた線香立てから、細く白煙が流れ、庭へと向かう。そこから覗く狭い空が金朱色に染まり始めていた。三人の手にかかれば、おがらも、あっという間にほど良い長さに揃えられて、送り火の用意は整った。

今少し暗くなるのを待って、仏間から表の戸口へと移り、お縁が置いた素焼きの皿に、お香がおがらを積み上げていく。積み終わると、今度は仙太郎が火のついた附木《つけぎ》をおがらの底に差し入れた。小さな火は暫く燻《くすぶ》っていたが、三人が見守るうちに、ぱっと燃え上がる。おがらをぱちぱちと勢いよく燃やして、思いがけず高く炎が立った。

膝を抱えて見守る三人の顔の傍で、橙色《だいだいいろ》の美しい火が楽しげに踊っている。

やがて炎は少しずつ鎮まり、最後は皿の上で僅かに残り火を抱くばかりになった。

「これまで幾度も迎え火、送り火をしましたが、今年の送り火は特に心に残ります」

燃え殻に目を落として仙太郎が言えば、そうだねぇ、とお香もしみじみと応えた。

辺りは薄闇《うすやみ》から徐々に暗さを増し、東の低い位置に、丸い形の月が浮かんでいる。

藪入りを終えて奉公先へ急ぐ小僧らが前の通りを駆け抜けていった。

お香はゆっくりと両の膝を伸ばして、仙太郎とお縁に目をやった。

「皆が戻る前に、仙太郎さんとお縁、ふたりに話しておきたいことがあります」

常は呼び捨ての義理の息子に「さん」付けをする、その改まった物言いに只《ただ》ならぬものを感じて、仙太郎とお縁は無言のまま、揃って立ち上がった。

斜めに差し込む月光で、縁側から室内に至るまで行灯《あんどん》要らずだった。佐平の位牌に手を合わせて拝んだあと、お香は改めてふたりに向き直り、居住まいを正す。

りりりりりりり
りりりりりりり
庭に潜んでいるのか、草雲雀《くさひばり》の間断ない鳴き声が、他に音のない仏間を優しく埋めている。

「お染が出て行った時から」

言いかけて、違う、お染のせいにしてはいけない、とお香は小さく頭を振った。

自身の気持ちを伝えるべき正しい言葉を探しているのか、お香はじっと考え込み、やがて腹を据えた様子で、徐に口を開いた。

「身勝手で愚かな女と蔑まれても構いません、お縁が桜花堂に来てくれた時から、私はこう願っていたのです。仙太郎さんがお染さんと別れて、お縁と一緒になってくれたら、と」

一瞬、頭が真っ白になって、お縁は我が身に何が起きたかわからず、咄嗟《とっさ》に畳に手をついた。ばんっ、と大きな音がした。

「お縁さん、大丈夫かい」

仙太郎が慌てて両の腕を伸ばし、お縁の肩を支える。お縁はその腕から逃れ、がたがたと身を震わせて、凍りついた目をお香に向けた。

娘を見返すお香の瞳《ひとみ》に、茫漠《ぼうばく》とした哀《かな》しみが宿る。

「三つになるやならずの娘を捨てた身で、一体何を勝手なことを、と責められて当然です。ただ、お前を手放したくない、ずっと一緒に生きていきたい、という本音をもう隠したくはなかった。このまま、何も言わずに済ませたくなかったのです」

　仙太郎さん、勝手な話をして堪忍してください、とお香は息子にも詫びると、今一度、お縁に向き直った。

「お縁、後生です。今の話を聞いたことで私に愛想が尽きたとしても、まだ私のもとを去らないでおくれ。せめて約束の長月までは、どうか一緒に居ておくれ。そうすれば、もう一生、お前と会えなくても諦《あきら》めがつきます」

　この通りです、とお香は畳に両の手を置くと深く、深く、頭を下げた。

　お香から顔を背け、お縁は拳《こぶし》に握った手を胸にあて、激しい動揺に必死で耐える。身動《みじろ》ぎひとつしないふたりを見かねたのか、お母さん、と仙太郎が優しくお香の肩を抱いて顔を上げさせた。

「今夜から暫く、奥座敷で休まれては如何でしょうか？　お縁さんもきっと、ひとりで色々と思われることもあるでしょうから」

　そうしてください、と仙太郎に促されて、お香は弱々しく頷いた。

　丁度、藪入りを終えた奉公人たちが戻り始めたらしく、勝手口の方が賑やかだ。仙太郎は立ち上がって、台所に向かって声を張った。

「誰か、奥座敷に布団を用意しておくれ」

はい、と応える声を聞いて、仙太郎はお香に手を貸して立たせる。

お香を先に奥座敷へと見送ると、仙太郎はお縁のもとに再び戻り、きちんと膝頭を揃えて座り直した。

拳を握って震えている娘に、お縁さん、と柔らかな声で呼びかける。

「突然のことで、私も驚きました。ただ……」

りりりりりりり
りりりりりりり
草雲雀はまだ鳴き止まない。仙太郎は鳴き声の方へ首を捩じって、草雲雀の奏でる歌を聴いた。虫の音は、連れ合いとなる相手を求めて、切なく、美しく、延々と続く。

お縁さん、覚えていますか、と仙太郎は庭に目を向けたまま、続ける。

「石塔の話、お縁さんが私に話してくださった、あの話が心に残っていましてね」

全く違う話題を向けられて、お縁は初めて強張りを解いた。それを察したのか、仙太郎は穏やかに話を続ける。

「縁あって夫婦となり、ともに生き、支えてくれた妻に報いたい。往生するなら一緒に――そんな風に思える相手と添い遂げられるなら、男として何と幸せなことだろう、と。残念ながら、私はお染に対してそんな願いを抱いたことはありません。互いの思いが浅かったのです」

声を低めて伝えたあと、仙太郎はお縁の瞳を真っ直ぐに見た。

「もしも許されるのなら、今度はもっとお互いを慈しみあえるひとと結ばれたい。ともに手を携え、幸せになれる道を選びたいのです。お母《つか》さんの願いは、私の願いでもあります」

それだけを伝えると、仙太郎はそっとお縁から離れて、静かに仏間を出ていった。

ひとりきりになった部屋で、お縁はただ呆然《ぼうぜん》と過ごしていた。どのくらいの間、そうしていたか、気付くと月の位置がずれて、室内は暗い。草雲雀の鳴き声に誘われて、縁側へと這って出た。

月影が射して、庭が明るい――そう思った瞬間、お縁は度し難い孤独を覚えた。

一度捨てた娘を、今度は嫁として傍に置きたいと願う母。二世を契《ちぎ》った相手が違ったので、契り直したいという男。いずれも己の気持ちを押し付けるばかりで、そこにお縁の思いは混じり得ない。

我が身に起こることには意味がある――自分を捨てたひとと巡り逢ったことの意味が、ただ孤独の淵に立たされている己を自覚するばかりなら、何と寂しいことだろう。

暑いはずが、無性にぞくぞくと寒い。お縁は両の腕を交差して自身を抱いた。

私は一体、何者か。何のためにこの世に生を受けたのだろうか。

答えの出ない問いかけを繰り返し、お縁はただ懸命に己を抱き締め続けた。

五濁悪世《ごじょくあくせ》　劫濁《こうじょく》　見濁《けんじょく》
煩悩濁《ぼんのうじょく》　衆生濁《しゅじょうじょく》　命濁中《みょうじょくちゅう》

正真の唱える阿弥陀経《あみだきょう》が、お縁の胸の内に広がる闇に、染み入るように響く。

――青泉寺へ帰りたい
帰りたい、あの場所へ
お縁の瞳の中で、月光の満ちる庭と、青泉寺の湯灌場とが重なり合う。正真、正念、市次たちの姿が眼前に迫る。その幻にじっと目を向けて、お縁は深く息を吸った。

逃げてはいけない。

悩み苦しむことから、逃げてはいけない。

考えることからただ逃げて、あの場所へ帰ることは、御仏の御心に背くことになる。

自分が何者で、何のためにこの世に生を受けたのか。約束の期日までここに身を置くことで、その答えの片鱗《へんりん》なりとも見出《みいだ》したい。

そう思い定めた時、漸《ようや》く、心の平穏が訪れたのだった。

藪入りから四日、処暑を迎えた朝は、漸く、吹く風に冷涼を認める。

強い陽射しが昼からの酷暑を予見させるものの、上槙町の表通りを行くひとびとの表情は何処となく、ほっとしていた。お玉と一緒に棒手振《ぼてふ》りを追い駆けての帰り道、お縁の手にはごろりと大きな冬瓜《とうがん》、お玉の手には笊《ざる》一杯の鰯《いわし》があった。

「お縁さんは」

鰯が零《こぼ》れ落ちるのを気にして、胸に笊を抱え込んでいたお玉が、傍らのお縁を見上げて尋ねた。

「尼さんとは違うんですか？」

素直な問いかけに、そうねぇ、とお縁は口もとを綻《ほころ》ばせる。

「正縁という名前は頂いたけれど、僧籍はないの。お師匠さまに尼僧になることを認めて頂いていないのよ」

お縁の返事を聞いて、お玉はぱっと顔を輝かせた。

「それならお縁さんは、桜花堂の女将さんになることもできるんですよね」

「えっ」

邪気のないその物言いに、お縁は棒を飲んだ如《ごと》く立ち止まる。

お縁の動揺に気付かぬまま、お玉は、満面に笑みを湛《たた》えて、明るく告げた。

「皆、そうなれば良いのに、って話してます。あ、噂《うわさ》をすれば……」

お玉はお縁に桜花堂の方角を指し示す。

丁度、出かけるところなのだろう、忠七らに見送られる仙太郎の姿が見えた。仙太郎の方でもこちらに気付いた様子だ。

ほどなく、通りの中ほどでお縁と仙太郎は擦れ違う。気を回したのか、お玉はぱたぱたと軽い下駄の音をさせて先に行ってしまった。

この四日間というもの、お香もお縁も仙太郎も、互いに目を見て話せていない。暮らしや商いに関する遣り取りはしても、あの夜の件について、三人とも互いに踏み込めずに過ごしていたのだ。

「お縁さん」

擦れ違いざま、仙太郎はお縁の名を低く呼んだ。

「青泉寺に帰らずに居てくれて、ありがとう。あれから毎朝、目覚めるとお縁さんの姿が見えないのでは、と案じていたのです」

はにかんだ笑顔を向ける仙太郎に、お縁は思い詰めた口調で応える。

「お約束の長月朔日までは居させて頂きます。けれども、お気持ちには添え
お縁の言葉を、仙太郎はその顔の前で大きな掌を広げて無理にも封じた。
「返事は急ぎません。長月まで、よくよく考えてください」
お願いします、との言葉を残して、仙太郎は軽く会釈するとお縁から離れた。

葉月に入り、白露《はくろ》を過ぎた。

桜花堂の庭に植えられた栗の樹の葉にも朝夕、丸い露が宿るようになった。樹を驚かせて露が零れぬよう、枝を揺らさぬよう、お縁は根にそっと白水を注ぐ。

お縁、と縁側からお香が急《せ》いた声で呼んだ。

「申し訳ないのだけれど、深川の円速寺まで用足しに行ってもらえまいか」

深川、と繰り返し、お縁は空になった桶を手に縁側のお香のもとへ駆け寄った。

「昔、お世話になったかたの十三回忌の法要があるって、今、聞いたのさ。招かれてはいないのだけど、せめて桜最中をお供えにお届けしたいんだよ」

仙太郎も忠七も出ていて、お香は店を空けられないのだという。よほど恩のある相手らしく、お香がほとほと弱っていることが読み取れた。

「すぐに用意をして、お届けに上がります」

お縁が応じるのを受けて、お香は安堵の色を浮かべ、永代《えいたい》橋を渡った辺りでお寺の場所を聞いておくれ。

「ちょいとわかりにくいのだけれど、橋を渡るのに橋銭が要るからね、これを持っていくと良い」

と、帯の間から銭入れの巾着《きんちゃく》を抜き取って差し出した。

身仕度を整えて、お供え用の桜最中を包んだ風呂敷を手に桜花堂をあとにする。青物町を抜け、海賊橋、霊岸《れいがん》橋と渡り、日本橋川の流れに沿って進む。最後に豊海橋を渡れば船手番所、海かと見紛うばかりの大川と、そこに架かる永代橋が眼前に迫った。

五代将軍綱吉の五十歳を祝賀して架けられた、と伝えられる永代橋は、長さ百十四間（約二百七メートル）、幅三間四尺五寸（約六・八メートル）の江戸市中最大の橋であった。木材で誂《あつら》えた坂の如く、幅広の橋板はそのまま天へと緩やかに繋がる。橋下を帆掛け船が幾艘《そう》も通ることから、橋桁《はしげた》が相当の高さであることが窺《うかが》えた。

お縁は暫し、肝を潰《つぶ》して橋に見入る。

日本橋の美しさ、華麗さにも驚いたけれど、永代橋の壮観な情景には息を呑むばかりだ。橋番の差し出す笊に二文の橋銭を入れると、お縁は永代橋を渡り始めた。

長い橋だけに勾配《こうばい》も緩やかで、少しずつ視界が広がっていくのが心地よい。

荷担ぎや棒手振りなど渡り慣れた者ばかりではなく、諸国からの旅人や、あるいはお縁同様、初めて永代橋を訪れた者も多いのか、橋の中ほど、最も空に近い場所に来ると、歩調が滞りがちになる通行人が目立った。

「ご覧よ、富士山があんなによく見える」

「あの先に霞《かす》んでるのが安房国《あわのくに》だろうかね」

お縁も立ち止まって見物したくなる気持ちを抑えて、橋板を踏みしめて進む。

赤穂浪士《あこうろうし》が討ち入りの後、この橋を渡って泉岳寺へ向かった、と聞いたことがある。百年を超えて、同じ橋が未《いま》だに存在する、という不思議。

この橋がなければ、船で渡ることになる。海原の如《ごと》き川を船で渡る危うさを思えば、何とありがたいことだろう。木でできている以上、腐ったり傷んだりするのは避けられないから、ここまで長らえさせる苦労も偲《しの》ばれた。

内藤新宿から四谷大木戸を初めて抜けた時もそうだったが、永代橋を渡り終えた時、別の土地に足を踏み入れたようで、背筋が伸びる。お縁は緊張の面持ちで、待機している橋番に円速寺の場所を問うた。

お香からの頼まれごとを無事に済ませ、寺男たちに丁重に見送られて、円速寺をあとにする。強い陽射しが目に突き刺さるようで、お縁は思わず手を額の前に翳《かざ》した。

その姿のまま、福島橋という狭くて短い橋を渡ろうとした時だった。光の加減で、向こうから橋を渡ってくるひとの姿が目の底に暗く映った。

「あっ」

今まさに橋を渡り終えたそのひとが、低く声を洩らす。

お縁は怪訝《けげん》に思い、翳した手の影で両の瞳を凝らした。白地に空色の朝顔を描いた絵日傘が目に入った。

絵日傘の下、髪を丸髷に結い上げ、桔梗色《ききょういろ》の薄物を纏《まと》った、ふっくらとした顔立ちの女が立ち止まってこちらを見ている。お縁にはそれが誰だか、すぐにはわからなかった。だが、眉間に皺を寄せた相手の固い表情に、はっと気付く。

仙太郎の女房、お染だった。

髪形が変わり、刺々《とげとげ》しい印象も消えているので、見過ごすところだった。お染の背後から傘を差しかけているのは、前掛け姿の老女だ。

以前、お香からお染の生家が深川黒江町にある、と聞いたことを思い出した。

奉公人に付き添われて、何処かへ出かけた帰りなのだろう。どう挨拶したものか、お縁は視線を泳がせた。お染が桜花堂を出てふた月、顔だけでなく体全体に随分と肉付きが良くなっている。お縁はふと、お染の腹回りに目を留めた。

お縁の目が自分のお腹《なか》に注がれているのを見て、お染は唇をぐっと結んだ。そして首を捩じると、老女に命じる。

「このひとに用があるから、お前は先に帰ってなさい」

お縁の髪や着物を胡散臭《うさんくさ》そうにじろじろと眺め、老女は首を横に振る。

「今が一番大事な時ですからね。もしも万が一、転びでもしたら大変です」

お話が済むまでお待ちします、と言う老女を、お染は、

「良いから言う通りにおし」

と、一喝した。渋々、といった調子でこちらを振り返り、振り返りして、畳んだ傘を手にした老女が通りの奥へと消えてしまうまで、お染とお縁は橋の袂《たもと》から見送った。その間、互いにひと言も口を利かなかった。

「どう？　驚いたかしら」

お染はお縁から視線を外すと、嘲笑《ちようしよう》を交えて告げた。

「皮肉なものだわね。こちらに戻ってからわかったのよ。桜花堂に嫁いで十一年、子宝に恵まれなかったのに」

やはり、とお縁は思い、躊躇《ためら》いつつも尋ねる。

「仙太郎さんはそのことを」

「知るはずないじゃないの」

お縁の言葉を遮って、お染はきつい口調で言い募る。

「夫婦仲はとうに壊れてしまったのだから、今さら伝える必要もないわ。うちの親も許してくれているし、船宿を手伝いながら、この子をちゃんと育ててみせる」

誰にも文句なんて言わせない、とお染はお縁を睨《にら》みつけた。

「仙太郎さんと桜花堂、全部あんたのものにすれば良い。遠慮なくどうぞ」

屍洗いに戻るよりもよっぽど出世だわよ、と毒づくお染に、お縁はただ静穏な眼差しを向ける。

お染は暫くその双眸《そうぼう》を見返していたが、根負けしたように自ら視線を外した。

「嫌いだわ、あんたのその目。まるでこちらの心の奥底まで見通すみたいな、傲慢《ごうまん》な目よ。男を骨抜きにする目なのよ」

仙太郎さんも騙《だま》されたんだわ、とお染は吐き捨てた。

夫婦のことは夫婦にしかわからない。他人の自分が口を挟むべきではない、と思いつつ、お染が口汚く罵《ののし》れば罵るだけ、お縁の耳にはそれが仙太郎への心残りの裏返しであるように聞こえてならなかった。

庭に蹲って泣いていたのだろう、お染の背中を思い出す。あの心細げな背中を。

お染さん、とお縁は明瞭《めいりょう》な声で呼んだ。

「『あんたのものに』だなんて、仙太郎さんは物じゃないわ。第一、私に因縁をつけたところで仙太郎さんの気持ちは戻らないでしょうに」

「何ですって」

よもやお縁から強い態度で反論されるとは思っていなかったのだろう、お染の瞳に戦きが浮かんだ。それを悟られまいとしてか、金切り声を上げる。

「屁しか相手にしたことがないくせに。男と女のことなんか、何ひとつ知りもしないくせに」

「ええ、知りません。知りたいとも思いません。私はそういうことに心が向かないのです」

お縁は静かに、しかしきっぱりと応えた。

心が向かない、と小さく呟いて、お染は黙り込んだ。

ぱたぱたと布が風に翻る音がして、お染とお縁は揃って橋を振り返った。富岡八幡宮《とみおかはちまんぐう》の氏子か、数人の男たちが大きな幟《のぼり》を手に、福島橋を渡ってくるのが見える。十二年ぶりの八幡宮の祭礼を控えて、深川八幡、と染められた幟にも気合が入っていた。

周辺が急に騒々しくなったのを機に、お縁はお染に軽く会釈をして、その場をあとにする。男たちの脇をすり抜けて、短い橋を渡りつつ思う。

不義密通を犯した母。妻敵討《めがたきう》ちを決意しながら、伴侶への思慕を捨てきれなかった父。ふた親のことがなければ、あるいはまた違っていたかも知れない。儘《まま》ならぬ男女の情愛の泥沼に、もしかしたら自分も溺《おぼ》れてしまっていたかも知れない。

橋を渡り終えて、そっと振り返ってみれば、お染は途方に暮れた様子で、両の手をお腹にあてて立ち竦《すく》んでいた。


日中の暑さに手加減はないのだが、日が暮れると冷気が肌を柔らかく包むようになった。美しい音色を響かせる虫の奏者は夜毎に数を増やし、今夜は殊に鈴虫が際立っていた。お縁は夜着を外し、半身を起こして虫の音に聞き入った。

ふと、お香の話を思い出す。

——夫婦の間に子どもでも居れば、また違ってたと思うんだよ
子どもができたことで何もかもが解決するとは思えないし、子どもにそんな枷《かせ》を与えて良いものではない。苦いものが込み上げて、お縁は右の掌をそっと喉《のど》もとにあてた。お香の口から子どもの話題が出る度に、平静ではいられない己を憐れに思う。

枕元に置いた木槵子の数珠を手に取り、心が平らかになるのを待った。りーんりー

ん、りーん、と鈴虫の音が、娘を慰めるように響いている。橋の袂で悄然《しょうぜん》と立ち竦んでいたお染の姿が脳裡《のうり》に蘇《よみがえ》って、お縁は切なくなった。嫁いで子宝を授からなかった十一年の間、お染はどれほど心もとなかったことだろう。

しかし、何故、その間も仙太郎はお染とともに暮らし続けたのか。

――残念ながら、私はお染に対してそんな願いを抱いたことはありません。互いの思いが浅かったのです

仙太郎はそう語っていたけれど、跡取りが望めず、情もない相手なら、とうに別れていたのではないのか。夫婦で在り続ける道を選んだのは、やはり互いに気持ちが残っていたからではなかろうか。

そこまで考えて、お縁は軽く頭を振る。

夫婦のことは、その夫婦にしかわからない。だからこそ、ふたりはきちんと話し合った方が良い。子宝のことも、他のひとの口から仙太郎の耳に入るよりも、じかにお染に会って知る方が良い。

お節介だと思いつつ、どうすればふたりを自然に引き合わせることができるか、お縁はじっと考え込んだ。

深川の八幡さまとして親しまれる富岡八幡宮は隔年ごとに祭礼が行われる決まりだが、祭りで喧嘩《けんか》騒ぎが起こり、寛政七年（一七九五年）に奉行所より咎《とが》めを受けて以後、控えられてきた。だが、今年は十二年ぶりにその禁を解かれたため、祭り好きの江戸っ子たちは、祭礼の日を指折り数えて待ち焦がれていた。

神輿《みこし》の出る渡御《とぎょ》が行われる葉月十五日。生憎《あいにく》、前日から降り出した雨はやむ気配を見せず、それどころか雨脚は一層激しくなるばかりだった。あまりの悪天候に、早々に十九日に順延が決まった。待ちに待ってさらに四日も待たされるのである。否が応でも十九日に向けて、江戸っ子たちの祭りへの士気は上がる一方だった。

そうして迎えた、葉月十九日の当日。

まさに祭り日和と呼ぶに相応《ふさわ》しい快晴となった。日本橋通りは朝から深川へ向かうひとびとでごった返していた。祭りの見物客を当て込んで、

「番付表いらんか、番付表、練り物やら山車《だし》やら、今日の見どころがひと目でわかる番付表、一枚たったの二文だぜ」

と、番付売りが声を嗄《か》らす。それがまた飛ぶように売れていた。

「ここ数日の悪天候が嘘のようですねぇ」

日本橋川沿いを歩きつつ、仙太郎が上機嫌で天を仰ぐ。お縁も釣られて空を見上げ

れば、浅葱《あさぎ》一色の染め物に似て、一片の雲さえ混じらない清々《すがすが》しさだ。

「お縁さんに頼みごとをされるとは思いもしませんでした。しかも、深川の八幡さまのお祭りを見てみたい、というのがまた嬉しい驚きです」

　仙太郎は傍らのお縁に、にこやかに告げた。お縁は無理にも笑顔を作って応じる。

　富岡八幡宮に至るには、必ず、黒江町を通らねばならない。祭礼を口実に仙太郎を深川に連れて行き、黒江町に差し掛かったなら、お染に会うよう説得しよう、とお縁は決めていた。嘘は苦手だが、今日だけは何としても遣り通さねばならなかった。

「すごい人出ですから、はぐれないよう、必ず傍に居てくださいね」

　仙太郎が懸念するように、お縁たちの前にも後ろにも、ひとが数珠繋ぎに連なっている。今日は江戸中から見物客が深川を目指して集まるに違いない。見渡せば、絵日傘を手にした若い娘や、幼いわが子を肩車した父親、芸者衆を従えた旦那、老いた親の手を引く夫婦等々、精一杯にめかし込んだ江戸っ子たちで溢《あふ》れ返っていた。

　周囲のひとびとは、一枚刷りの番付表を手に、

「どんな山車が出るのかねぇ」

「番付表の大関位の練り物は見ておかないと」

「いやいや、誰が何と言おうと、まずは神輿だぜ。紀伊國屋文左衛門《きのくにやぶんざえもん》の奉納したとか

いう、金張りの神輿を見ないうちは死ねねぇって」

と、声を弾ませている。祭礼への期待は、否が応でも盛り上がるばかりだ。

永代橋に辿り着くまで、日本橋川に架かる豊海橋を渡って川向こうに行く必要がある。だが南新堀二丁目まで辿り着いたところで、前を歩いているひとたちの足が止まり、お縁と仙太郎も自然、立ち止まった。

「おいおい、まだ豊海橋も渡れてねぇんだぜ。さっさと前へ進んでくんな」

後方で誰かが声高に言い、

「ずっと先の方で詰まって動けねぇんだよ。文句があるなら、そっちに言ってくれ」

と、誰かが前方で応える。

向こう岸の北新堀町の通りは、こちらよりさらに混雑しており、押されて日本橋川に落ちそうになっている者も見受けられた。小柄なお縁に替わって背伸びをして前後を確かめた仙太郎が、これは酷《ひど》い、と唸《うな》った。

「豊海橋はひとで溢れて身動きも取れない様子です。ここから永代橋の端の方が見えますが、誰も渡っているようには見えない」

もしかすると、大川を身分のあるかたの船が通るので、橋止めをしているのかも知れません、と仙太郎はお縁に語った。

じりじりと待つうちに、向こう岸からどっと歓声が上がった。何事か、と注視するうちに、北新堀町に滞っていた群衆が目に見えて前へ前へと進んでいく。ほどなく、こちら側の行列も少しずつ動き始めた。やれやれ、と仙太郎は安堵の息を吐く。

「永代橋は橋の幅が広いですから、一度に沢山のひとが渡れるのでしょう。あまり待たされずに済みそうで、安心しました」

豊海橋の袂まで辿り着いて初めて、永代橋の姿がはっきりと見えた。橋の幅一杯に、ひとびとが広がって渡っている。十二年ぶりの祭礼に敬意を表してか、やはり身綺麗《みぎれい》な形《なり》をしている者が多く、色取り取りの薄物や単衣、それに絵日傘が目立った。

「まあ」

お縁は大川の水面に目を向けて、晴れやかな声を上げる。

大川から水路を使って深川を目指す船が数えきれぬほど。お大尽を乗せた屋根船もあれば、警備のための御用船、それに山車を乗せた船もあった。色鮮やかな幟を立て、あるいは染め帆を張って、煌《きら》めく陽射しを受け、あたかも存在を競い合うが如く浮かんでいる。これほどまでに華やいだ景色を見るのは、お縁には初めてのことだった。

この前は番人がふたり居て、柄付きの笊を差し出して二文の橋銭を取っていたはずが、今日は混雑でそれどころではないのだろう。橋の袂に据えた台の上で、役人が早く行け、とばかりに大きく手を左右に振って通行人に指示している。仙太郎とお縁は後ろから押されるまま、永代橋の橋板を踏んだ。

眼下、過日の豪雨で水かさを増した大川は北から南へと滔々《とうとう》と流れ、橋上ではひとの波が西から東へと途切れることなく続いている。茶色く濁った川面に浅葱の空が映り込み、常とは違った不思議な美しさで、それがまた、ひとびとの胸を高鳴らせた。

その時、捨て鐘が三つ、続いて四度、鐘は鳴り響いた。

「ああ、もう朝四つ（午前十時）だ」

口々に言って、ひとびとは時の鐘の余韻が残る橋上を急ぐ。お縁もまた、仙太郎とともに橋の上り勾配を只管《ひたすら》に歩いていた時だ。

「立ち止まっては危ないぞ。年寄りと子どもはなるたけ外側を慎重に歩かせよ」

橋の途中に設けられた見張り台に立って、役人らしき男が見物客に事故のないよう、声を張って注意を促す。その声に聴き覚えがあった。

「新藤さまだ」

仙太郎も気付いて、台の男を見ている。

騒動に備えて、奉行所から助っ人に駆り出されたのだろうか、定廻り同心の新藤松乃輔に違いなかった。新藤の方でもお縁と仙太郎とを認めて、口角をくっと上げる。

ひとの流れに従って、お縁と新藤との距離は近付き、並び、そして少し離れた。

上り勾配が終わり、空が間近に見える。長い長い永代橋の中ほどに差し掛かったのだ。前方、深川方面へ続く橋上には恐ろしいほどみっしりとひとが詰まっていた。

強い川風が下から上へと吹き上げて、橋を揺らす。妙に足もとが覚束《おぼつか》ない。

「お縁さん、摑《つか》まって」

仙太郎がお縁に手を差し伸べる。その手を取る間もなく、橋がぎしぎしと悲鳴を上げ、左右に大きく撓《たわ》んだ。ずん、ずん、と地響きに似たものが二度。不意を打たれて橋上では折り重なって倒れる者が続出した。お縁は足を踏ん張り、辛うじて耐える。

刹那《せつな》、お縁の目は、橋の異常を捉えた。

永代橋は美しい弧を描いていたはずが、まるで重みに耐えかねたように、いきなり深川寄りのその箇所だけ七、八尺（約二・一〜二・四メートル）下がったのだ。

めりめりと木が裂ける轟音《ごうおん》が響いて、先の箇所、三間（約五・五メートル）ほどが崩れ落ち、倒れていた群衆が次々に大川に落下した。

最初はわけもわからぬまま、驚愕のあまり声さえ上げられずに、男も女も侍も町人も、年寄りも子どもも、あっという間にどぼどぼと大川へ落ちた。それを目にした者、辛うじて崩れる手前で踏みとどまった者が悲鳴を上げ、助けを求めて絶叫する。橋からの落下者は、先に落ちて救いを乞《こ》う者の上へ次々と重なり、たちまちに大川の水面に浮く屍と化した。お縁の位置から、その地獄絵が手に取るように見えた。

だが、それもまだ序の口であった。

橋の形が災いして、深川寄りの橋上で起こったこの惨劇は、日本橋寄りに居る者からは見えない。事情に気付くことなく、祭礼見物へ、と永代橋を深川目指して渡り続けているのだろう。崩壊を避けて一刻でも早く橋を戻ろうとするも、ひとの波はあとからあとから押してくるのだ。突き飛ばされて、お縁は尻餅《しりもち》をついた。

橋桁は次々に崩れ、裂けた橋板とともに落下し、欄干は無情に千切れて宙を舞う。崩落部分は確実に広がって十間（約十八メートル）を越え、恐怖に引き攣《つ》るひとびとを容赦なく大川へと落としていく。橋上も橋下も、阿鼻叫喚の地獄と化した。

「戻れ、戻らぬか」

新藤の大声が耳に届く。だが、戻れ、戻れ、と同心がどれほど叫べども、押し寄せるひとの波は止まらない。橋桁と橋板を失ったあとの間隙《かんげき》が、ひとを呑み込む奈落の入口に見えた。じりじりと、その地獄がお縁に迫ろうとしていた。

せめて何か掴まるものを、とお縁は尻餅をつきながらも、橋板のつなぎ目を探った。その時、ほんの一間ほど先、崩れかけた欄干にしがみ付いて、今にも落ちそうになっている若い女と目が合った。

天女を思わせる透けた曙色《あけぼのいろ》の薄物、同色の髪の手絡《てがら》。お縁より三つ四つ若い、美しい娘だ。その見開いた目が、恐怖に凍りついた眼《まなこ》が、お縁を凝視する。

私はここで死ぬの？

死ななければならないの？

聞こえるはずもない問いかけが、お縁の耳に届く。途端、みしみしと音がして、欄干が娘とともにゆっくりと落ち始めた。娘は救いを求めるように片腕をお縁の方へと差し伸べたまま、声も立てずに落下していった。

お縁の視界から、不思議なことに色が消えた。無残な情景は水墨画の如き黒白だけになる。途切れた橋の間から、大川が覗く。折り重なって動かぬひとびと、川面に浮く晴れ着、開いた絵日傘等々が色を伴わずに瞳に映った。

南無阿弥陀仏《なむあみだぶつ》、とお縁は胸中で経文を唱える。この世の名残りに、とお縁は首を捩じって後ろを眺めた。

「戻らぬならば」

新藤が見張り台から欄干に足をかけ、腰の刀を抜く。それを高々と掲げて、

「容赦なく斬《き》り捨てる」

と、叫んだ。

碧天の陽光を集めて、刀がぎらぎらと妖しく光る。その抜き身の銀が、色を失ったはずの、お縁の目を鋭く射た。

「刀だ、侍が乱心した」

「斬り殺されるぞ」

どよめきが起こり、動揺の波が後ろへ後ろへと流れていく。

乱心だ、殺される、という恐怖が確実に伝えられて、ひとの流れが変わった。

「そうだ、戻れ、戻れ」

頭上高く差し出した刀を振り回して、新藤が叫ぶ。

潮が引くように群衆が後退を始めて、お縁の背後に隙間《すきま》ができた。すぐ後ろにいたらしい仙太郎が、お縁さん、と名を呼んで、お縁を抱き起こす。数歩先にはすでに橋板はない。仙太郎は真っ青になりながらも、お縁を庇って何とか後ずさりした。

「とにかく戻りましょう」

仙太郎に腕を取られ、不気味に揺れ続ける永代橋を命がけで戻る。風の鳴る音に、ひとの悲鳴、断末魔の声が入り混じって、背後から襲いかかってくるようだった。

永代橋崩落の報は、瞬く間に江戸中を奔《はし》り、大騒動となった。

奉行所はただちに永代橋を封鎖し、さらに、同じく大川に架かり老朽化して崩落の危険のある新大橋と両国橋も、刻《とき》をずらして閉ざした。崩落の折り、大川に居合わせた船はこぞって水難者の救護にあたり、また奉行所からの申し出により近隣の漁師らも船を出して救助に向かった。

当初は怪我人《けがにん》が五十名ほど、という噂が流れたが、無残に捩じ切れた姿を晒《さら》す永代橋と溺死者《できししゃ》の浮かぶ大川の惨状を目《ま》の当たりにすれば、それが如何に被害を見誤った数字か、たちどころに理解できた。

深川の橋詰に救護所が設けられ、駆けつけた医師らによって川から引き上げられた者の手当てが行われる。残暑厳しい日ではあったが、溺水者の身体は氷のようで、どんどんと火が焚かれ、乾いた布で身体を擦って懸命に蘇生が試られみた。

手当の甲斐《かい》なく落命した者、あるいは端《はな》から助からなかった者たちの亡骸《なきがら》は、男女を分かち、さらに老少を分かって大路《おおじ》に積み上げられた。亡骸が少ないうちは敬意を持って、しかし、数が増えるに連れて、扱いはどうしてもぞんざいになっていく。

この日、夕刻までに引き上げられた遺体は百九十を超えた。噂を聞き、祭礼見物に出かけて戻らぬ家族を求めて、江戸中から悲愴《ひそう》な様子でひとびとが橋詰を目指して集まった。夜が更けて漆黒の闇の帳《とばり》が下りても、亡骸を照らす篝火《かがりび》は赤々と燃え続けた。

私はここで死ぬの？

死ななければならないの？

怯《おび》えた娘の目がずっとお縁を凝視して、問いかけてくる。差し伸べられた娘の手を何とか摑もうとしても果たせない。

ああ、また同じ夢だ、とお縁は低く呻いて寝返りを打つ。早く目覚めたい、この夢から解放されたい、そう願ってもなお、夢はお縁を放さなかった。

「どう仰っても、無理なものは無理でございます」

怒りを抑えたお香の声が、夢の中に斬り込んでくる。

「桜花堂で預かる限り、あの娘にそうした真似は決してさせません。どうぞお引き取りくださいませ」

慇懃無礼《いんぎんぶれい》な口上は、常は愛想の良いお香には珍しいことだった。

何が無理なのだろう、そう思った時、唐突にお縁は夢から覚めた。はっと半身を起こせば、額から畳んだ手拭いが落ちた。枕もとには水の入った桶が置かれている。

思い出した。事故に巻き込まれ、落命しかけた衝撃があまりに大きく、仙太郎に背負われて戻り、そのまま床に就いたのだ。どれほどの間、眠っていたのだろう。障子の外は明るく、陽はまだ低い位置から射している。

「新藤さまには、その旨、しかとお伝えくださいませ」

中座敷からは、お香の緊迫した声が聞こえてきた。

お縁は起き上がり、手早く身仕度を整えると、仏間を出て中座敷に向かった。襖は開け放たれ、中にお香と、見覚えのある男の姿があった。新藤に従う、年配の方の中間に違いなかった。

「お縁、無理して起きたりしたら駄目だろ」

廊下に控えている娘を認めて、お香は慌てて、男から隠すように背後に庇った。

大丈夫ですから、と断って、お縁は中間に問いかける。

「新藤さまが私をお呼びなのですか？」

左様、と中間は頷き、崩落事故から一夜が明け、橋詰は無数の骸で溢れかえっている、と早口で告げる。事態が切羽詰まっていることは、その表情から読み取れた。

「近隣の医者という医者、坊主という坊主が集められてはいるが、如何《いかん》せん、到底足りないのだ」

中間の懇願の眼差しに、お縁は頷き、すっと両の膝を伸ばした。

「詳しい話は道すがらに教えてくださいませ」

その返答に、中間は、忝《かたじけな》い、と一礼して自らもさっと立ち上がる。

「お縁、待っておくれ」

狼狽《うろた》えて、お香は懸命に娘を制した。

「何も、お前が行かなくても良いじゃないか」

行かせるまい、と必死なのだろう、お香の五本の指がお縁の上腕に食い込む。

大女将さん、とお縁は静かに呼んで、そっとお香の手を押さえた。

「物言わぬ骸になっていたのは、私だったかも知れないのです」

言下に、亡骸に縋《すが》っているのはお香かも知れなかったのだ、と伝える。

祭礼を見物に行く、といって出かけた娘が、息子が、孫が溺死体となって戻る。突然の逆縁に見舞われた者の狼狽、悲嘆は想像に難くない。

自分で役に立てるならば、どんなことでもさせてもらいたい——お縁のそんな気持ちを汲んだのだろう、娘の腕を摑んでいたお香の手の力がふっと緩む。それを逃さず、お縁はお香の手を柔らかく外した。

永代橋の上流に架かる新大橋は、昨日の崩落事故を受けて通行止めになっていた。

しかし、予《あらかじ》め話が通っていたのか、中間とお縁は渡ることを許された。対岸に出て、川に沿って南へ下る。陽射しはきつく、日本橋からここまで歩き通しただけで全身が汗みずくになった。中間のあとを追いながら、お縁は顔を流れる汗を袖で拭う。

右手に広がる大川では、潮の流れに乗って散り散りになった亡骸を捉まえるためか、漁船があちこちで網を打つ。川面には幾つもの下駄が歯を上に浮かんでいた。

「おかしなもので、男の骸はうつ伏せ、女の骸は仰向《あおむ》け、判でも押したみたいに、決まってそうだった」

中間は淡々と告げて、永代橋の手前の方を指し示す。

「最初は通りの方に亡骸を積み上げていたが、今は橋詰の空地へ移したのだ」

まだ大分と離れているにも拘《かかわ》らず、すでに死臭が鼻を突く。この暑さでは亡骸の傷みは早く、じきに蠅《はえ》に覆われることになってしまう。お縁は気が急いてならない。

「昨夜はともかく仏さんを家に帰してやりたい一心で、引取り人の確認に抜かりが有った。身内だと謀《たばか》り、遺体から金目のものを盗む輩《やから》があとを絶たなかったのだ」

畜生めが、と中間は憎々しげに吐き捨てる。

新仏や遺族に対するあまりの仕打ちに、胃の腑から苦い物が込み上げて、お縁は、くっと手の甲で口を押さえた。いきなり生を断ち切られたものが、何故、さらに理不尽な目に遭わねばならないのか。怒りと哀しみと苦しみで、頭がくらくらする。

佐賀町が近付くにつれ、筵《むしろ》を被《かぶ》せた戸板や早桶を運ぶひとたちとすれ違う頻度が多くなった。戸板ではなく早桶を選ぶのは、おそらく亡骸が傷んでいるからだろう。

南無阿弥陀仏

南無妙法蓮華経《なむみようほうれんげきよう》

南無釈迦牟尼仏《なむしやかむにぶつ》

種々の経文が重なり、お縁の耳に届いた。

仏に仕える者たちがその慈悲に縋ろうと、宗派の違いを越えて心をひとつにしている。亡くなりし者、遺されし者を慰めるかの如く、線香の匂《にお》いも漂ってきた。

支流に架かる中ノ橋、下ノ橋を渡ったところで、急拵《きゆうごしら》えの柵《さく》が見えた。役人らしい男が数人、ひとの出入りを監視している。お縁に待つように命じて、中間は役人のところまで駆けていき、耳打ちする。

「お縁、済まぬな」

連絡を受けたのだろう、ほどなく、新藤がお縁のもとへと現れた。昨夜から休めていないらしく、げっそりとやつれて見える。こっちだ、と新藤は三味聖を誘う。

大川沿いの佐賀町は南北に広がる蔵の街であった。永代橋の東の橋詰は、この街の南端に位置し、広大な空地を有する。昨日は医師らによる救護活動が行われたその場所が、今は遺体置き場として使用されていた。

亡骸は乱雑に積み上げられている、と思い込んでいたが、下に筵を敷き、頭を川の方に向け、空地一面に並べ置かれて、辛うじての尊厳は保たれていた。家に戻らぬ家族を探しに訪れた老若男女が息を詰め、一体一体を改め、大切な誰かを探している。

「夕刻までに大川から引き上げた亡骸はおよそ百九十、うち九十ほどが家族に引き取られた。中には間違って引き取られ、朝になって戻されたものもある。何処《どこ》も彼処《かしこ》も大混乱だった」

一夜明けて捜索の手が広げられると遺体は増え続け、これまでに三百ほどを確認した、と新藤は感情のこもらぬ声で告げた。

新藤の肩越しに、遺品をまとめたと思しき、幾つもの山が見える。無数の刀や絵日傘、風呂敷に巾着、帯や背負い箱、駕籠に至るまでが無造作に積み上げられていた。物言わぬ大量の遺品が、崩落事故に巻き込まれた被害者の数は決して現状に留まるものではない、と訴えかけてくる。

お縁はぐっと唇を引き結んで、周囲を見回した。

今なお遺体は増え続け、安置場所が足りずに河岸蔵の方へ次々に運ばれていく。ひとの死と近い暮らしを送ってきたが、一度にこれほどまでの数の亡骸を目にするのは、生まれて初めてだった。親を、子を、孫を、妻や夫を、兄弟姉妹を、大切な誰かを、居並ぶ骸の中に見つけたのだろう、至る所で慟哭《どうこく》が渦を巻いていた。

「当初は、身内が見つけやすいように、男女を分けていたのだが、こんなわけでな」

新藤がすぐ手前の亡骸を指し示す。幼い男児が母親にしがみ付いていた。母と子は揃って白く濁った目を空に向け、事切れていた。幼い娘を抱き締めたまま果てた父親、孫娘を懐に抱いて守りながら逝った祖父、等々。引き離すのが忍びなく、結果、引き上げられた順に並べることになった、という。

葉月の陽射しは、溺死者の濡《ぬ》れた着物を乾かす一方で、確実に亡骸を傷めつける。遺体は鼻と口から白く細かい均一の泡を吹き、蠅を誘う。掌は色が抜けたように白くなっていた。湯灌は無理でも、できるだけ早く詰め物等の処置を急ぐ必要があった。

「あとを頼めるか」

新藤の言葉に、お縁は深く頷いた。そして尼そぎの髪をひとつにまとめ直しながら、こう頼み込んだ。

「綿をあるだけ用意して頂けますか、あとは手拭い、晒しに手桶もお願いします」

お縁の要望に新藤は、すぐに用意させる、と応えて慌ただしく去った。

肉体は、息を引き取った瞬間からゆっくりと腐り始め、身体の中に溜《た》め込まれたものは外へ漏れ出てしまう。それゆえ、亡骸をなるべく清らに保つことが、死者の尊厳を守ることに繋がるのだ。

水から引き上げられた亡骸が、さほど刻を置かず家族に引き取られるなら、あとはそちらに任せれば良い。けれども引き取り手がなかなか現れない場合、なるべく早い段階で誰かがそれをせねばならなかった。周囲には、検死を終えた亡骸の鼻や口に詰め物を施している者が、幾人も見受けられる。いずれもそうした処置を心得た者たちだった。お縁もまた、安置された亡骸の傍に両膝をついた。

新仏《にいほとけ》は六十過ぎと思《おぼ》しき老女だった。お縁は一礼して合掌したあと、仏の半乾きの帯を解いて、藍木綿の単衣の前をはだける。胃の腑を押して、呑んでいた水を吐かせてから、耳、鼻、口、肛門《こうもん》、膣《ちつ》に内容物が洩れないように綿を詰めた。絞った手拭いで汚れを拭い、乾いた手拭いで水気を拭う。

処置の最中、誰かに話しかけられたような気がして、お縁は顔を上げる。

「うちの子を、うちの息子を見ませんでしたか？」

焦点の合わぬ目で、四十がらみの女が誰彼なしに声をかけていた。

「齢は十三、背はこれくらいなんです。昨日から戻らないんですよ」

自分の胸の辺りを示して、誰か知りませんか、と女はか細い声を上げ続けた。

盗人を警戒して巡回していた役人らしい若い男が、女を呼び止める。

「このありさまだ、背丈や齢だけじゃわかりゃしねぇ。どんな着物と帯だったか、とにかく身に付けてた物を思い出して、教えてくんな」

その遣り取りから、身内を探す者たちはまず亡骸の着物を目安にしていることが知れた。お縁は処置を終えた亡骸にきちんと単衣を着せて、帯の柄を見易いように前に垂らした。本来ならば湯灌でその身を温め、乾いた帷子《かたびら》を着せ、顔を整えて送り出したかったが、それが赦される状況ではない。

お縁は自分の髪から、柘植の櫛を外す。仙太郎から贈られた櫛だった。その櫛で仏の髪を撫で、強張りを解いて、両の手を胸の上で組ませる。そうして次の新仏へと向かった。

無我夢中で過ごすうち、七つ(午後四時)の鐘を聞き、陽射しに朱が混じるのに気付く。板のように張る腰を伸ばし、上体を軽く反らせば、西の空は赤く燃え、眼前の大川は夕陽を浴びて黄金色に輝いていた。一瞬、現状を忘れ、その美しさに見入る。

「今しがた、網で引き上げられた娘だ」

お縁の前に、若い娘の亡骸が運ばれてきた。

「もう検分は済ませちまったので、悪いが頼めるか」

役人はそう言うと、お縁の返答を待たずに小者を追い立てて何処かへと立ち去った。

新仏の纏う、たっぷりと水を吸った曙色の薄物に見覚えがある。まさか、とお縁は娘の傍らに膝をついて、その顔を覗き見た。白濁した両の瞳は見開かれたままで、虚空に向けられている。手足は白くふやけ、崩れた髪に薄物と同色の手絡がまとわりついていた。

ああ、とお縁の口から呻き声が洩れる。一昼夜、この姿で水の中を彷徨《さまよ》っていたのか。お縁は胸をえぐられる思いで、乾いた手拭いを広げた。娘の頬を優しく撫で、肌の水気を丁寧に拭う。濡れて重くなった帯を解き、薄物の前を開く。新仏の顔を横に向けて、呑み込んだ水を吐きださせた。詰め物をして、乾いた手拭いでもう一度、丁寧に身体を拭うと、着物の前を合わせる。

痛くして、ごめんね。乾いた帷子に着替えさせてあげられずに、ごめんね。

胸の内で詫びて娘を見れば、閉じさせたはずの瞼が持ち上がり、濁った瞳がお縁に向けられていた。

私はここで死ぬの？

死ななければならないの？

あの瞬間の娘の問いかけが過《よぎ》って、お縁は胸が詰まる。娘の冷たい手を自身の両の掌で包み込み、あの時、この手を取れなくてごめんなさい、と心から詫びた。

私ではなく、何故、このひとだったのですか——お縁は御仏に問いながら、娘の髪に櫛をあて、形ばかり、乱れを直す。そうして再度、娘の瞼を指で押さえた。

南無阿弥陀仏、南無阿弥陀仏、と心を込めて念じ、指を離すが、新仏の瞼はじきに持ちあがり、お縁を見た。

「そりゃあ、無念だろうさ」

身内を探しに訪れたのだろう、こちらの様子を見ていた初老の男が洟《はな》を啜っている。

どうすれば新仏の気持ちを慰めることができるか、お縁は考えつつ、懐から木槵子の数珠を取り出した。数珠を腕にかけると、娘の瞼をもう一度押し下げ、自分の額を娘の額につけて、祈る。娘の額の冷たさが、己の額の温かさが、死者と生者とをくっきりと分かつ。

お前は一体、何者なのか。

何のためにこの世に留まるのか。

新仏の問いかけが、声なき厳しい問いかけが、お縁に突き付けられる。これから先も多彩な人生が広がっているはずだった。否、もしかすると、肉親ごと事故に巻き込まれたのかも知れない。おそらくは慈しんだ家族が居るはずだった。否、もしかすると、肉親ごと事故に巻き込まれたのかも知れない。

娘の無念、この世への断ち難い思い。そしてこれから娘と対面するであろう遺族の悲嘆がお縁に迫る。

私は何者でもありません、とお縁は心の中で答えた。ただ、湯灌場に立つことで、亡くなったひとの無念に寄り添い、遺されたひとの悲しみに寄り添いたい、と切に願っています——お縁はそう告げて、そっと新仏から身を離した。

お縁の祈りが通じたのか、娘は瞳を閉じ、安らいだ表情になった。

奉行所の記録によれば、二十日昼の時点で町奉行所が把握した溺死者数は三百九十一人。大川を浚っての探索は二十五日まで続けられ、その後に発見された遺体も含め、七百三十二人。だが、沖に流されてしまった亡骸も多く、実際は千五百人ほどの死者を出したとされる。弔いの葬列、読経の声、線香の匂い、そうしたものと無縁の日はなく、江戸中が悲しみに沈んだ。大川の河岸は供物《くもつ》で溢れ、卒塔婆で埋まった。

お縁は毎日、佐賀町へ通い続けた。お香も最初は引き留めたものの、あとは諦め、お縁の思うようにさせてくれた。

終日、亡骸と接していると、死臭が髪にも着物にも染みついて取れない。桜花堂に迷惑がかかっては、と帰りに湯屋へ寄って臭《にお》いを落とし、着替えを済ませた。

常ならば手伝いを申し出るはずの奉公人たちも、洗い物をするお縁を遠くから眺めるばかりだ。お縁の役割を頭で理解してはいても、受け容れ難いのだろう。お縁のことを慕っていたお玉でさえ、用がない限りは近づこうとはしない。それを寂しいとも、哀しいとも、お縁は思わなかった。

「お縁さん、私も途中までご一緒します」

葉月も明日限り、という朝。佐賀町へ向かうお縁に、仙太郎が声をかけた。

事故の前はお縁と並んで歩いていたのが、今、仙太郎は少し先に立ち、離れて歩く。会話も殆どないまま、ふたりは日本橋通りを進んだ。常は活気に満ち、華やかなこの通りも、昨年の大火、そして先日の崩落事故、と度重なる災害で、暗く陰る。通りを行き交うひとびとの面差しや様相からは、生きる気力も希望も削《そ》ぎ取られていた。

件《くだん》の自身番を過ぎ、右に折れたところで、仙太郎がふと立ち止まった。

「八日ほど前、深川の黒江町を訪ねたのです。夫婦仲が壊れたとはいえ、もしやあの事故に巻き込まれてはいないかと気懸かりで。そしたら、お染のやつ、私の子を……」

仙太郎はお縁を振り返り、泣き笑いの表情を見せる。

「私の子を身籠《みごも》っていたんです。十一年も一緒に居て駄目で、なのに、今になって私の子を……今年のうちに、この私が父親になる、と言うのですよ」

仙太郎は双眸を潤ませているが、それは決して負の思いの表れではない。お縁には充分に忖度《そんたく》できた。仙太郎はお染とよくよく話し合い、お腹の子どものためにも夫婦でやり直すことに決めた、という。

「こんな折りに、こんな話をするのは気が咎めるのですが、せっかく宿った命なんです。やはりお知らせしておきたくてね」

「仙太郎さん、おめでとうございます」

お縁は周囲を気遣って声を落としつつも、思いを込めて祝いの言葉を口にした。

これまでの経緯もあり、仙太郎は些《いささ》か決まりの悪そうな色を浮かべたが、気持ちを切り替えるように、天を仰いだ。

「お染のところへ行く途中、河岸のお縁さんを見ました。亡骸に詰め物をし、着物を整え、櫛で髪を梳《けず》り……。隣りに居合わせたひとが『まるで生き菩薩《ぼさつ》だ』と手を合わせておいででした。確かによほどの慈悲の心がなければ、ああした行いは無理だ」

言葉を切り、仙太郎はお縁に視線を戻すと、暫くじっとその瞳を見つめた。

「商いで成功したい、桜花堂をもっと大きくしたい——私の中身はそんな欲で一杯で、あなたとはひととしての格が違う。凡人の私が誰かと添い遂げられるとしたら、相手は菩薩ではなく、たとえ愚かでも生身の女なのでしょう」

お染とふたり、不出来な者同士で補い合って、互いの思いを深めていきたい、と仙太郎は結び、詫びるように深く首を垂れた。


葉月最後の夜、桜花堂の庭では秋の虫が一層賑やかな音色を奏でていた。

狭い空に月の姿はなく、代わりに満天の星々が辺りを仄明《ほのあか》るく照らす。店の者はとうに寝床に入り、庭の華やかさに比して室内は無音の闇であった。

お縁とお香は先刻より並んで縁側に座り、虫の音にじっと耳を傾けていた。明日、長月朔日は、お縁が桜花堂に残るのか、青泉寺へ帰るのか、明白にする期日だった。

お縁の心はすでに決まっている。また、おそらく、お香はお縁の決断に察しがついているのだろう。ただ、ふたりは互いにどう話せば良いのか逡巡《しゅんじゅん》し、黙り続けた。

りりりりりりり

りりりりりりり

草むらに潜んでいたのか、草雲雀が一層美しい音を震わせて、お縁とお香は揃って顔を上げた。星影のもと、互いの表情は明瞭ではない。

「いつかの夜を思い出すねぇ」

お香が低く呟いた。

ええ、とお縁も小さく応える。

お香の左手がすっと伸びて、お縁の右手に重ねられた。

「行ってしまうのだね」

茫洋とした哀しみの滲む声だった。

お香の手にそっと自身の左手を添えて、はい、とお縁は応える。

自分を捨てたその母親と巡り逢った意味を、自分が何者で、何のためにこの世に生を受けたのかを、ずっと考え続けてきた。あの新仏に導かれて、お縁はその答えを得ていた。

皺の刻まれた手を優しく解いて、お縁は身体ごとお香の方へと向き直った。そして、深く息を吸い、気持ちを整えてから、これまで口にできなかった言葉をそっと囁いた。

「母上」

星明かりの中、はっと息を呑む気配がした。

お縁は縁側に両手を置くと、母上、と再度、思いを込めて母を呼んだ。

「母上から頂戴《ちょうだい》したこの命、三昧聖《さんまいひじり》として全うすることをお許しくださいませ」

そのひと言に、この世に生み出してくれたことへの感謝と、自らの意思で道を決めることへの決意が滲む。

言い終えてお縁は、深々と母親に一礼した。

お香は両の手を伸ばし、愛娘《まなむすめ》の腕を取ると、顔を上げさせた。そして、その肩を抱き寄せる。娘の存在を確かめるように背中に手を回し、最初は恐る恐る、やがて力を込めてぎゅっと娘を抱き締めた。長い間、そうしたい、と思って、しかしできなかった仕草だった。

お艶、お艶、と娘の幼名を小さな声で幾度も呼んで、母は娘を抱き締める。お縁は抱かれながら、母の涙が自分の肩口を濡らすのを感じていた。その熱い涙が、お縁の心の奥に残っていた氷を跡形もなく溶かし去る。

母上、と応えるお縁の双眸から涙が溢れ、お香の白銀の髪を濡らしていく。

蓮花の契り

「あら」

湯灌場《ゆかんば》の後始末を終えて庫裏《くり》に戻ろうとした時、頬《ほお》に冷たいものが触れて、お縁は天を仰いだ。重く垂れ込めた雲から、ちらちらと白いものが落ちてくる。

初雪だわ、と掌《てのひら》を開いて、空の贈り物を受け止めた。今年初めての雪は粗く削った氷のようで、三昧聖《さんまいひじり》の手に舞い降りると、長居せずにすっと溶けてなくなる。良かった、この雪なら積もらない、とお縁は掌をきゅっと握った。

桜花堂を出て青泉寺に戻り、ふた月。一日、一日を三昧聖として無我夢中で過ごすうちに、早くも雪の季節を迎えたのだ。亡きひとの無念に寄り添い、遺されたひとの悲しみに寄り添うべく、明日も心してここに立とう、とお縁は湯灌場を顧みた。

「正縁」

ふいに呼びかけられて声の方を振り返れば、寺門を入ったところで、顔馴染《かおなじ》みの臨《りん》時廻《じまわ》り同心、窪田主水《くぼたもんど》が、手にした一枚摺《ず》りをひらひらさせていた。

「窪田の旦那《だんな》、こいつは……」

庫裏の板敷に座って、暫《しばら》くは一枚摺りを手に眺めていた市次だが、難しい顔で首を捻《ひね》る。

「この絵は、どう見たってお縁坊じゃありませんぜ」

「本当だ、これじゃあ正縁は観音菩薩《かんのんぼさつ》さまだ」

脇から一枚摺りを覗《のぞ》いて、三太がにやにやと笑う。お縁も戸惑って摺り物を眺めた。

惨事のあとの永代《えいたい》橋付近と思《おぼ》しき絵には、頭に宝冠を戴《いただ》き、身に天衣《てんえ》を纏《まと》った人物が亡骸《なきがら》を清める様子が描かれている。絵の横には「生き菩薩、これ青泉寺の三昧聖なり」との文字が摺られていた。

「今日、手に入れたばかりの読売だ。江戸市中ではそいつが飛ぶように売れている。これから青泉寺の人気は鰻《うなぎ》のぼりだ。うむ、旨《うま》い」

供え物の菓子を勝手に頬張りつつ、窪田は満足そうに頷《うなず》く。

「やはり最中《もなか》は桜花堂の桜最中に限る。正縁がこちらに戻ってからも、途切れぬよう届けてくるとは、桜花堂も殊勝なこ……」

最中が詰まったのか、窪田は拳《こぶし》で胸をとんとんと叩《たた》いた。見かねて仁平が用意した白湯《さゆ》を、窪田は礼も言わずに飲み干すと、また桜最中に手を伸ばした。

四十を越えて未《いま》だ独り身、近年、ますます腹が出て小銀杏《こいちょう》には白髪も混じる。青泉寺の居心地が良いのか、こうやって時折り、ひょいと現れては無断で菓子を食べ、寛《くつろ》いでいくのだ。

「けど、感心しませんぜ」

市次は読売をお縁に渡しながら、語気を強める。

「これじゃあ、お縁坊に縋《すが》ろうって者があとを絶たなくなっちまう。お縁坊は生身の人間ですぜ。そこを思い違いする奴も、きっと出てくるに決まってまさぁ」

お縁はお縁で、摺り物に目を落とすと、当惑を示す。

「あの時、幾人ものかたが同じことをされていました。私だけがこんな風に取り上げられるのは違うのに」

ふたりの言い分を聞いた窪田は、いや、それは違う、と頭《かぶり》を振った。

「お前たちは下落合に居るから、江戸市中の様子がわからぬのだ」

意外にも真面目《まじめ》な表情で、窪田は両の手を膝頭《ひざがしら》に置いた。

「崩落事故からまだ三月《みつき》にも満たない。何せあれだけの死者を出したのだ、江戸中が未だ悲しみの底に沈み、僅《わず》かなりとも慰めになる話を求めている。溺死者《できししゃ》を丁寧に扱った三昧聖の姿は、遺族ばかりか事故を見聞きした者を大いに慰めたに違いない」

大田《おおた》南畝《なんぽ》という文人が、のちに読み物にするべく、遺族や事故に巻き込まれて命を長らえた者などに聞き取りを行っているという。その洩《も》れ聞こえてくる逸話だけでも胸を突かれる内容が多い、と窪田はしんみりと付け加えた。

「なるほどねぇ」

三太がお縁から読売を取り上げて、絵をなぞってみせる。

「そういうわけなら、正縁が生き菩薩の扱いを受けても仕方ねぇや。それに、こんな読売が出回ったなら、青泉寺も今後、少しはましな扱いを受けることになりますね」

青泉寺は、その敷地内にある湯灌場で亡骸を洗い清め、火屋《ひや》で火葬し、望まれれば墓所に納める、という専《もっぱ》ら死者の弔いのみを行う墓寺《はかでら》である。檀家《だんか》制度から外れているため幕府の庇護はなく、従って寺社奉行の管轄からも外れる。利権もない代わり自由であったが、公には軽んじて扱われる存在だった。殊に、「毛坊主」と呼ばれる寺男を低く見る者も多く、三太なりに感じることがあったに違いなかった。

「妙に騒がれるのは困るが、事情が事情だ、忙しくなっても文句は言いませんぜ」

仁平が律義に応《こた》えて、窪田の前に桜最中を菓子鉢ごと置く。

だが、窪田は菓子にはもう目もくれず、難しい面持ちで声を低めた。

「いや、私がこの読売を持って出向いたのは、単に噂話《うわさばなし》をお前たちの耳に入れるためではない。杞憂《きゆう》かも知れぬが、私は案じているのだ」

窪田の声色に不穏なものを感じ取って、四人は視線を絡め合った。

　窪田さま、と最年長の市次が同心ににじり寄る。

「何を案じておられるのか、どうぞお聞かせくださいまし」

市次の哀願に、窪田は、さてどう話したものか、と躊躇《ためら》いつつも唇を解いた。

「私の口から申すのも差し障《さわ》りがあるのだが、おかみが最も警戒するのは、人心を惑わすものだ。伴天連《バテレン》などはその極みと言って良い。正縁が生き菩薩としてひとびとから崇《あが》め奉られては、おかみから警戒されるやも知れぬ」

下手をすると、と言いかけて窪田は皆まで言わずに湯飲みに手を伸ばし、ぐっと白湯を飲み干した。話の続きを促す市次らの視線を避け、そそくさと板敷を下りて、庫裏の戸を開ける。外の雪は、いつしか霙《みぞれ》に変わっていた。

仁平が差し出す傘を受け取って、窪田はぶるっと身を震わせると、

「いずれにせよ、あまり目立たぬようにしてくれよ。青泉寺は私にとって、数少ない憩いの場なのだからな」

と言い残し、霙の幕を搔《か》き分けて去った。

窪田の姿が寺門の向こうに消えるまで見送って、三太が舌打ちをする。

「結局、どうしろってぇんだよ」

腹立ち紛れに音を立てて戸を閉めると、ひとり、毒づいた。

「読売になったのはこっちの知らねぇことだし、今さら目立たぬようにしろって言われても困るに決まってらぁ。親切なのかお節介なのか、どっちつかずの旦那だぜ」

三太の隣りで、お縁はぎゅっと身を縮める。世間から崇め奉られることなど望むはずもなく、人心を惑わせる恐れがある、と評されても戸惑うばかりだ。それが原因で青泉寺に迷惑をかけることになったら、と思うと不安でならない。

「窪田さまってなぁ、ただのお調子者だ。お縁坊は何も気にするこたぁねぇよ」

お縁の気持ちを慮《おもんぱか》ったのだろう、市次はそう慰めて、歪《いびつ》な笑顔を作った。


皆の見越した通り、一枚摺りの読売の影響は計り知れず、何としても三昧聖の湯灌を受けさせたい、と願う遺族があとを絶たない。遠くは両国辺りから亡骸を戸板に載せて、難儀しつつも青泉寺に運び入れる者がいる。否、遺族ばかりではなく、老人が自身の死後の湯灌を頼みにくる例もあった。

青泉寺では正真の考えのもと、身分の上下や貧富の差を問わず、湯灌も火葬も全《すべ》て同様に行う。そうした姿勢もまた、多くの遺族の琴線に触れ、口伝に評判は広まる一方だ。無論、依頼の全てを受け入れることは難しい。しかし、なるべく気持ちに添いたい、とお縁たちは早朝から夜まで湯灌場に立ち続けて、火屋から上る煙もまた、終日絶えることがなかった。

ことが起きたのは、霜月《しもつき》九日、暦の上では大雪《たいせつ》だが、天は青く澄み渡り、冬麗という言葉が似合う昼下がりであった。

青泉寺の火屋で荼毘《だび》に付されているのは、麹町《こうじまち》の呉服商の跡取り息子だった。内藤新宿の飯盛《めしも》り女と理《わり》ない仲になり、他の客と刃傷沙汰《にんじょうざた》を起こした挙句、池に飛び込んで心中を図ったのだ。男の両親が賂《まいない》を使い、手を回して倅《せがれ》の亡骸を引き取り、女の方は投げ込み寺へ運ばれた、と聞く。互いが離れないように手拭いで縛った痕《あと》が、新仏の手首と足首とに無残に残っていた。女と引き裂かれたことを恨むかのように白目を剝《む》く亡骸を、逆さ水の中で洗い清め、目を閉じさせる。剃髪《ていはつ》して座棺《ざかん》に納まる時には、新仏は、すっかり諦念《ていねん》した表情になっていた。

青泉寺の火屋と湯灌場は白布で仕切られ、外からは見えない工夫が施されている。お縁は湯灌場の湯の始末をしたあと、火屋から上がる煙に目をやった。風が無いために、煙は真《ま》っ直《す》ぐに浅葱《あさぎ》空に吸い込まれていく。男女の情念の苦悩から解き放たれて、亡きひとがお浄土に向かう。その道筋に思われて、お縁はそっと手を合わせる。

ふいに、お縁の耳が、常には聞かない蹄《ひづめ》の音を捉《とら》えた。

誰だろう、と寺門を注視すれば、馬に乗った男とその手綱を取る男、ふたりの姿が目に映った。陣笠《じんがさ》を被《かぶ》り、裾《すそ》に黒い布を縫いつけた野袴《のばかま》姿の武士は、寺門を潜《くぐ》っても馬を下りる気配もない。

「お待ちくださいませ」

あまりの傍若無人を見かねて、お縁は堪《たま》らず馬の傍へと走り寄った。玉砂利に両の膝《ひざ》をつき、手を揃《そろ》えて、馬上の侍を見上げる。

「ここは寺でございます。仏さまに対しての不敬、どうか馬をお下り下さいませ」

しかし男はお縁には目もくれずに、火屋から上がる煙を目で追っていた。

「お武家さま、どうか馬を」

「黙れ、無礼者」

お縁の言葉を遮って、傍らの侍が叱責《しっせき》の声を上げる。

「このかたは寺社見回りの大検使《だいけんし》、私は小検使《しょうけんし》である。控えておれ」

あっ、という声をお縁は何とか封じ込んだ。大検使、小検使、という名称に聞き覚えがあった。ともに寺社奉行の家臣で、神社仏閣の風紀に乱れがないか、何か問題を隠していないか等々、実際に見て回る役人のことだった。

寺社境内での下馬下乗は当然の理で、檀那《だんな》寺でこのような振る舞いをするはずはない、青泉寺が墓寺ゆえに軽んじているのだ。怒りのあまり、両の耳が火照《ほて》る。

「青泉寺は檀那寺ではございません。お見回りの必要があるのですか」

震える声でお縁が問えば、小検使はそれには答えず、馬上の大検使に倣《なら》って、白煙の行方《ゆくえ》を眺めた。

一体、どうしたというのだろう。

押し黙って動かないふたりの様子を見て、怒りよりも疑念の方が勝《まさ》った。

「運の良いことよ」

小半刻（約三十分）ほどして、大検使はそう呟《つぶや》くと、馬の腹を蹴《け》り、手綱を自らぐいっと引いた。馬が歩き始めたのを認めて、小検使はお縁に、

「この寺の住職を調べることになる。追って沙汰のあるまで待つよう申し伝えよ」

と、傲岸《ごうがん》に命じ、あたふたと馬を追いかけて寺門を出ていった。


「大検使？」

お縁から話を切り出されて、正真は眉根《まゆね》を寄せる。

陽《ひ》が落ちたあとの本堂は底冷えがして、鉄瓶から立つ湯気の如《ごと》く六人の吐く息が白

く凍って上っていく。本堂に据えられた蠟燭《ろうそく》の火が、その情景に色を添えていた。

「正縁、相手は間違いなくその役職を名乗ったのだね？」

正念に問われて、お縁は、はい、と頷き、先刻のふたりの様子を詳細に伝えた。皆は熱心に耳を傾けていたが、聞き終えると、一様に押し黙った。正真は静かに両の眼《め》を閉じたまま身動《みじろ》ぎしない。正念は膝に置いた手に目を落とし、考え込んでいる。

なるほどなぁ、と三太が悔しそうに顔を歪《ゆが》めた。

「前に窪田の旦那が気にかけてたが、こういう形で来るたぁ思わなかったぜ」

「畜生め」

仁平が腿《もも》に置いた手を拳に握り、必死で怒りを堪《こら》えている。

お縁は三太と仁平の怒りの理由がわからず、答えを求めて傍らの市次を見た。

「御留山《おとめやま》は公方《くぼう》さまの鷹場《たかば》だからな」

ぼそりと発せられた市次のひと言に、お縁は、あっ、と漸《ようや》く気付く。

但馬《たじま》橋の正面に見える御留山は、将軍家の狩猟地で、その名の通り立ち入ることを禁じられている。身近な山でありながら、遠い存在ゆえに失念していたが、仮に今日、公方さまが鷹狩りにいらしていたとしたら。そして、あの時、もしも火葬の煙が……。

「火屋から上がる煙が御留山の方へ棚引いたなら、奴らは大喜びで正真さまに縄をかけたことだろうよ」

三太が憎々しげに吐き捨てる。

かつて、下谷《したや》・浅草近辺の火屋を持つ寺二十ほどが、こぞって小塚原へと移されたことがあった。時の将軍が上野寛永寺へ墓参した際、幾つもの火屋から立ち上る煙や臭《にお》いが折りからの東風でそちらまで届いたのが理由と聞く。

お縁は思わず畳に手をつき、前へと身を傾けた。

「下落合に火屋は青泉寺ひとつきりですし、御留山からも離れています。たとえ風向きによって煙が流れたとしても、到底、届くわけがありません。何より、これまで数えきれぬほど火葬をしておりますのに、何故、今頃になってそんな因縁を」

「それがまさに因縁というものじゃ」

正真は穏やかに告げて、眼を見開いた。

「どのような沙汰が下ろうとも、皆、動揺せぬことだ」

青泉寺の住職の表情には微塵《みじん》の憂慮も宿っておらず、その居住まいの平らかさが三太や仁平の怒りをすっと撫《な》でて祓《はら》った。

正真は本尊を拝すると、両の膝を伸ばす。古稀《こき》はとうに過ぎているはずが、とても軽やかな動きだった。本堂を去る正真に、市次らも続く。毛坊主《けぼうず》たちは住職のひと言を胸に、皆、落ち着きを取り戻していた。

しかし、お縁だけは未だ混沌《こんとん》の中に在った。

——正縁が生き菩薩としてひとびとから崇め奉られては、おかみから警戒されるやも知れぬ
窪田の台詞《せりふ》が耳の奥で繰り返し、繰り返し響いていた。

根が生えたように本尊の前に座り込んで、お縁は息を詰めた。

「正縁、もう休みなさい」

火の始末をしようとして残った正念が、お縁に声をかけた。

「正念さま」

お縁は救いを求めて、正念に迫った。

「私が目立ってしまったばかりに、このようなことに……。一体、どうすれば……」

混乱を隠さないお縁を見て、正縁、と名を呼ぶと、正念はその傍らに座り直した。

「正縁は永代橋で己がしたことを悔いているのかい？　しなければ良かった、と思っているのだろうか？」

優しい口調ではあったが、お縁の信念を問う厳しさが隠れていた。

決して、とお縁は頭を振り、きっぱりと答える。

「悔いておりません。あの時の行いが、己の迷いを払い、生きるべき道を見出《みいだ》すことに繋《つな》がったのです。悔いるはずなどございません」

ふっと正念の双眸《そうぼう》が和んだ。そうか、と頷いて、

「ならば、正真さまが仰《おっしゃ》った通り、動揺せぬことだ。青泉寺は墓寺という立場上、これまでも色々なことがあった。しかし、全て乗り越えての今なのだよ」

と、温かに結んだ。

だが、事態は翌朝、一層深刻なこととなる。昨日の小検使とともに、寺社奉行大久《おおく》保《ぼ》何某《なにがし》配下を名乗る徒組《かちぐみ》十名が青泉寺を訪れ、寺門を封鎖、住職の正真、副住職の正念に同行を要請した。役宅で取り調べを行うという。

「お待ちくださいませ。青泉寺は墓寺、寺社奉行さまの御支配は受けぬはずです」

お縁は正真と徒組の間に割って入って、叫んだ。

「それに、何故、私ではないのですか？　取り調べるべき相手は、人心を惑わしたとお疑いの私のはずでは」

ふん、と小検使は鼻で笑って、

「なるほど青泉寺は、寺は寺でも墓寺ゆえ、こちらの支配は受けぬ。だが、住職も副

住職も僧籍を持つ僧侶《そうりょ》ゆえに、寺社奉行さまの御裁きに従わねばならぬのだ。威勢の良い啖呵《たんか》だが、お前は寺社の臣ですらない。僧籍を持たぬ紛《まが》いの尼僧に過ぎぬ」

と、断じた。

「紛いとは聞き捨てならねぇ」

拳を握って小検使に殴り掛かりそうな三太を、正真が眼差《まなざ》しで封じた。案ずることはない、というひと言を残して、正真は正念とともに連れて行かれた。

案ずるなと命じられても、岩吉のことがどうしても脳裡を過《よぎ》る。ふたりが残忍な目に遭いはしまいか、と皆の胸は潰《つぶ》れんばかりだ。

裏門から見送り坂へと出て、遠ざかる一行の後ろ姿を見送る。お縁たちには、ただもう、ふたりへの御仏《みほとけ》の加護を祈るしかできなかった。

半刻（約一時間）ほどのち、弔いを頼もうと、亡骸を戸板に載せて見送り坂を上ってきた者は、青竹を組んで閉ざされた寺門に戸惑い、そこに立てられた「一切の弔いを禁ずる」との札に仰天した。

夕刻、噂を聞きつけたのか、窪田主水が、裏門から転がるようにして庫裏を訪れた。

「住職と副住職が引っ張られたと聞いたが、まことか？」

「窪田さま」

一同は声を揃えて窪田を呼び、周りを取り囲んだ。皆の必死の形相に、窪田は気遅れしつつも、まずは茶を飲ませてくれ、と頼んだ。

「なるほど、なるほど」

市次の話に時折り相槌《あいづち》を挟みつつ、臨時廻り同心は温《ぬる》くなった茶を飲み干した。そして、あらかたの情況を理解すると、幾分、安堵《あんど》の表情を覗《のぞ》かせた。

「相手が町奉行ではなく、寺社奉行、というのは存外良かったかも知れぬ」

同心の台詞に僅かな光を感じて、お縁らは同心の方へと身を乗りだした。

く、窪田さま、と仁平が詰まった声で問う。

「そいつぁどういうことですか。あっしらにもわかるように話してくださいまし」

うむ、と頷いて、窪田は羽織の袂《たもと》から手拭《てぬぐ》いを引っ張り出す。それを仕切りに見立てて板敷に置くと、左右を交互に指し示した。

「要は支配違い、ということなのだが、寺社奉行はその名の通り、僧侶に神官、寺社領に住まう者を取り締まり、町奉行は町人、浪人を取り締まる。この手拭いを境とするなら、両者は決して互いの領分を侵さぬよう振る舞うのだ」

町奉行の配下には、与力や同心など事件の真相を探るのに長《た》けた者が居るが、寺社奉行の配下にはそうした職がない。大小検使という役名の者は、僧侶の女犯や賭博《とばく》に鼻は利いても、それ以外となると実に心もとない、と窪田は得意気に説いた。

窪田の旦那、と三太が途中で口を挟んだ。

「旦那が事件の真相を探るのに長けた同心かどうかは置いといて、寺社奉行さまの配下がそんな有様じゃあ、却って正真さまや正念さまが手酷い仕打ちを受けるんじゃねぇんですか」

三太の言い草に、窪田はむっとしつつも、

「町方とは違い、寺社奉行の配下は不慣れなため、取調べでも腰が引けて、そうそう手荒なことはせぬ。青泉寺のふたりは早晩、解き放ちになるだろう。第一、目障りなのは正縁であって、あのふたりではないからな」

と、答えた。さらに、仁平に茶のお代わりを所望すると、自ら説明を補足する。

「今回の場合、亡骸を茶毘に付す際の白煙が御留山に流れることの不敬が問題となるのだが、その証《あかし》を立てるのはなかなかに難しい。また、どのような始末をつけるのかは相当に厄介だ。厄介ごとには、様子見、というのが一番に決まっておるからな」

窪田の説明に、半信半疑ながらも、一同の顔が少し明るくなる。仁平は立ち上がって菓子鉢を取って戻り、窪田の前に置いた。

待て待て、喜ぶのは早いぞ、と窪田は首を左右に振ってみせる。

「様子見とは今のまま、即ち寺門を開くこと叶《かな》わず、ということだ」

僧侶に下される罰のうち、門も窓も閉じて昼夜問わずひとの出入りを許さぬ「閉門」は五十日か百日、門は閉じるが夜は潜り戸より出入りを許される「逼塞《ひっそく》」は三十日か五十日、といずれも期限が設けてある。こうした罰ならば、日数が経《た》てば以前の通りに戻れるが、向こうの狙いは青泉寺の取り潰しにあるはずだ、と窪田は断言する。

「罰を決めずに、様子を見る、ということにしておけば、いつまでも世間から青泉寺を遠ざけることができる。そうなれば早晩、寺としては立ちいかなくなり、廃寺への道をまっしぐら、ということだ」

「そんな……」

お縁はそう叫んだきり、絶句する。青泉寺を失うなど、あってはならないことだ。

毛坊主たちも息を呑《の》んで互いを見合った。

「名を捨てて実《じつ》を取る、と考えてはどうか。墓寺として世に知られた青泉寺は消えるが、正真と正念のふたりが無事に戻るなら良しとすることだ」

窪田は難しい顔でそう締め括《くく》って、重い腰を上げる。板敷を下りかけて、ふと、思い出したように菓子鉢に手を伸ばし、桜最中を三つ四つ摑《つか》んで袂へと入れた。それを咎めもせず、また見送りもせずに、四人は切羽詰まった表情で押し黙っていた。

寺門が閉ざされて三日目の朝、青泉寺の庭にぽってりと雪の布団が敷かれていた。

見送り坂は、と見れば、やはり雪に埋もれている。

常ならば、ここまで積もる前に青泉寺を目指す者たちによって踏み固められてしまうのだが、との思いを封じて、それぞれが雪掻きの道具を手に取った。四角い板切れに荒縄を結わえた簡素な道具を用いて、道に積もった雪を掻き取るのだ。

「お縁坊は身体《からだ》が冷えるといけないから、ここは俺たちに任せな」

気遣う市次に、お縁はいいえ、と首を振る。

青泉寺への道筋はこの見送り坂のみ。住職と副住職もこの坂を通って戻るのだ。ふたりのために雪を払っておきたかった。

無事にお戻りください、どうぞ無事に。

四人はそう念じつつ、手分けして長い坂の雪を掻く。暫くするうちに、極寒のはずが全身が汗ばみ始めた。お縁は額に浮いた汗を着物の袖口《そでぐち》で押さえた。

「正縁はまだあの癖が抜けぬようじゃなあ、正念」

「はい、困ったものです」

ふいに、そんな会話が坂の下から響いて、四人は揃って声の方を見た。純白の雪の中に墨染の衣姿のふたりの僧侶の姿があった。

「正真さま」

「正念さま」

雪掻きを放り出し、四人は口々に呼んで坂を転がるように下りる。

少しやつれて見えるものの、ふたりは常の通り落ち着いた様子で、皆を迎えた。

「留守中、変わりはなかったか」

正真に問われて、ございません、と市次が丁重に答える。そうか、と正真は深く頷いて、見送り坂を上り始めた。

あまりにも普段通りで、三太など拍子抜けして雪の中に座り込んだ。仁平が三太の腕を引っ張って立たせ、市次は正真を追う。皆が忘れた道具を、正念が腰を屈めて拾い始めたのを見て、お縁は慌ててそれを手伝った。

雪掻き道具を抱えて坂を上りながら、お縁は先を歩く副住職の背中に声をかける。

「正念さま、お帰りなさいませ」

正念は振り返り、心配をかけたね、と優しく応じる。

頭は丁寧に剃髪《ていはつ》されており、無精髭《ぶしょうひげ》も浮いていない。取り調べられたはずだが、岩吉の時とは随分違う。正真と正念がおそらくは敬意を持った扱いを受けたことに、お縁は救われた思いがした。

「ご無事で本当に何よりでございました」

本堂での祈りを終えた正真と正念に、市次が心を込めて慰労の念を伝える。

仁平、三太、それにお縁も、一様に頷いた。青泉寺の存続が危ぶまれることは一旦《いったん》、頭から追い払って、今はふたりが無事に戻ったことを喜び合った。

「この度のことが何処《どこ》からどう洩れたのかはわからぬのだが、水澤重之進《みずさわじゅうのしん》殿が動いてくださったようじゃ」

正真の言葉に、毛坊主たちは首を捻る。だがお縁にはその名に聞き覚えがあった。

何かを察した三太が、誰なんだ、と小声で問う。正念さまの、とお縁はそれだけを小さく囁《ささや》いた。暫く思案していた三太は、しかし、

「ああ、いつだったか、正念さまを迎えに来た、あのご隠居か」

と、大きな声を出した。

ここに居る誰もが、正念が実の母咲也を守るため、さる藩主の嗣子《しし》の座を捨てて出家に及んだことを知る身。水澤重之進は以前、咲也の危篤を知らせに来た家臣だった。

正真の言葉から、正念の出自が寺社奉行の役宅での処遇に何らかの影響を与えたこ

とが察せられた。四人は事情が呑み込めて仄《ほの》かに安堵する。

問うべきことを、しかし市次ら毛坊主たちは、なかなか言い出せない様子だった。

出過ぎたことと思いつつ、お縁は、おずおずと正真に尋ねる。

「お教えくださいませ、一体、どのような罰がくだされたのでしょうか」

青泉寺の住職と副住職は、娘の問いかけに、暫し、目を見合った。

「それは私から話しましょう」

正念は師に断りを入れると、お縁の方を向いて、静かに告げた。

「正式な言い渡しは実はまだない。罰が決まるまでの間、暫くは青泉寺の門を閉ざしたままにしておくように、と。だが、おそらくはこのまま、こちらが滅するまで沙汰はないだろう」

窪田が予言した通りだった。お縁も、そして市次らも、ぐっと息を呑み込み、言葉もなく唇を噛《か》み締める。暫くの間、誰も口を利かず、ただ、陽に照らされて溶け始めた屋根の雪が、ぽたぽたと滴る音だけが続いていた。

このままではいけない、と気付いたのか、市次が顔を上げて、こう提案する。

「おふたりともさぞかしお疲れでしょう、昼餉《ひるげ》の仕度のできるまでお休みください」

仁平も三太も、そうしてくださいまし、と口々に言って、床を伸べるのだろう、すぐさま本堂を飛び出していった。

正念に促されて本堂を出ようとする正真に、お縁は咄嗟《とっさ》に、お待ちくださいませ、と縋《すが》る。

「おかみは私こそが目障りなはず……私が青泉寺を去れば、その理不尽な取り決めはなくなるのではありませんか。ならば、私はここを去ります」

「去ってどうする、正縁」

問い返して、師は三昧聖の前に座り直した。

「答えよ、正縁、ここを去ってどうするのか」

声音は穏やかだったが、正真のお縁に向ける眼差しは冷ややかで厳しい。怯えを押し殺し、お縁は辛うじて師の視線を受け止めると、か細い声で答える。

「どこか私を置いてくださるお寺を探します。そして、そこで湯灌をさせて頂こうと思います」

間髪を容《い》れず、師の問いが飛ぶ。

「ならば、移った先が青泉寺の如き目に遭《お》うたならば、何とする。また別の寺へ移るのか」

畳み込まれて、お縁はさすがに俯《うつむ》いてしまう。正縁、と師は弟子を厳《おごそ》かに呼んだ。

「青泉寺がこの度のことで廃寺となってしまうのならば、それもまた御仏の御意思。私は住職として謹《つつし》んで受け容れよう。まだそうとも決まらぬうちから逃げることを考えるようでは、まだまだ信心が足りぬのう、正縁」

そう言い置いて、正真は徐《おもむろ》に立ち上がる。よほど疲れていたのだろう、少し足もとがふらついた。すかさず正念が脇を支えた。

ふたりが本堂から去ったあとも、お縁は本尊の前にじっと座り続けた。

永代橋の事故を機に、生涯を三昧聖として貫き通す、と心を決めたのだ。だが、そんな自分の存在こそが青泉寺を危機に晒《さら》してしまっている。どうして良いかわからぬところへ、師匠から信心を問われた。

確かにそこに身を置いているはずが、足もとが崩れていくような恐怖を覚える。懐から木槵子《もくげんじ》の数珠を取り出すと、お縁は本尊に向かい、ただ只管《ひたすら》に手を合わせた。

青泉寺では、僧侶たちにせよ、毛坊主たちにせよ、長きに亘《わた》り湯灌に火葬、と新仏を弔う毎日だったのだ。いきなりそうした日常が削《そ》がれてしまうと、一日の過ぎるのが随分と遅く、なかなか慣れることができない。

焦《じ》れるほどゆっくりと時が経ち、あと三日もすれば冬至、という日のことだった。

「今、何か足音がしなかったか」

庫裏の裏の畑で大根を抜いていた時に、三太がふいに手を止めて耳を澄ませた。つられてお縁は掌を開いて耳の後ろにあてる。土を踏む、それらしい音が聞こえた。

「市次さんたちではないかしら。正念さまに頼まれて薬草を取りに出かけたはずよ」

「いや、違うな、あのふたりならもっとせかせか歩く。誰かはわからないが、俺たちで出迎えた方が良さそうだぜ」

三太は言って、汲み置きの水で泥の手を洗った。

ほどなく、案内を請う声がして、裏門の扉を開けてみれば、そこに五十前後の穏やかな風貌《ふうぼう》の侍が控えていた。白髪が増えていたが、その顔には見覚えがある。思わず一歩前へ踏み出して、お縁は相手に呼びかけた。

「尾嶋《おじま》さま」

「おお、正縁さん、正縁さんだね」

相手もお縁を認めて、懐かしげに眼を細める。正念の実母、咲也が二度めの契《ちぎ》りを結んだ相手、尾嶋多聞《たもん》、そのひとであった。

「咲也が亡くなって以来だ、もう四年にもなりますかな。お元気そうで何よりです」

柔らかな物言いも、四年前と少しも変わらない。

多聞とは面識のない三太だが、話の内容から薄々察したのだろう、

「正縁、本堂にご案内したらどうだ。俺は正真さまと正念さまに知らせてくるぜ」

と、言うなり駆けだした。

「趣のある庭ですなあ。松の姿が良い」

本堂に通されて、庭を望める場所に座ると、多聞は雪を纏《まと》った松に目を留めた。ただ今お茶を、とお縁が腰を浮かせた時に、丁度、正真たちが墨染の衣の袖を翻して本堂に入ってきた。邪魔にならぬよう、お縁は急いで本堂を出る。背後で多聞と正真とが挨拶《あいさつ》を交わす声が響いていた。

庫裏で丁寧に茶を淹《い》れ、盆に載せて渡り廊下を行く。

「では、あや女《め》殿にお子が？」

「はい、正念さま。年が明ければ二つになります。尾嶋を継ぐ者ができて、ほっと安堵しております」

本堂の入口に立てば、話の弾む様子が窺《うかが》えて、お縁は口もとを綻《ほころ》ばせた。

このところずっと、闇《やみ》の中を手探りで歩くに似た心持ちで過ごしていたが、あや女や尾嶋家に舞い降りた吉祥に、慰められる思いがする。

三人の前にそれぞれ湯飲み茶碗《ぢゃわん》を置き、一礼して立ち去りかけた時だ。

尾嶋多聞が、正縁さん、とお縁を呼び止めた。

「これもご縁と申すもの、正縁さんも一緒に、某《それがし》の話を聞いては下さらぬか」

多聞の要請に、正真がお縁に頷いてみせる。

はい、と応えて、お縁は三人から少し離れた位置に、両の膝を揃えて座った。

多聞は居住まいを正すと、両手を畳に置いて、正真と正念を交互に見つめる。それまでの柔らかな顔つきが一転、悲痛に歪んだ。

「正真さま、本日、尾嶋多聞は、正念さまの還俗《げんぞく》の嘆願のため伺いました」

刹那、正念は息を止め、双眸を大きく見開いた。多聞はそんな正念の方に向かい、

「正念さま、どうか、我が富澤藩《とみざわ》に、松平宣則《まつだいらのぶのり》さまとしてお戻りくださいませ」

と、声を振り絞ると、畳に身を投げ出すようにして平伏した。

ふたりの僧侶は身動ぎひとつせず、多聞を凝視する。滑らかな会話で暖められていたはずの本堂が氷室《ひむろ》の如き冷気を纏い、お縁はただ、おろおろと成り行きを見守るばかりだ。

正念が無言のまま正真に一礼して、立ち去ろうとする気配をみせた。

師はそれを察して、留《とど》まれ、という体で頭を振る。そして、まだ畳に額をつけてい

る多聞の方へ、尾嶋殿、と柔らかく声をかけた。

「正念がそれを望まぬことは、尾嶋殿もよくよくご承知であろうに、今、何故そのような嘆願をなさるのか。わけがあるなら、それをお聞かせ願いたい」

正真さま、と声を絞り出し、多聞は顔を上げる。そして、正念がその場に留まっていることに安堵した表情を見せると、姿勢を正した。

「実はかねてよりご闘病中の現藩主、松平宣輝《のぶてる》さまの容体が思わしくなく、その跡目を巡って内々で揉《も》めに揉めております」

藩主の宣輝は齢《よわい》二十六だが、正室側室とも子宝に恵まれない。誰を松平家の養子として迎えて跡目を継がせるのか、戦々恐々の日々なのだという。

「下総国《しもうさのくに》は、古河《こが》藩、佐倉《さくら》藩、関宿《せきやど》藩を除いては小藩ばかりにございます。世継ぎが定まらねば、取り潰しの憂き目に遭うことは必至。今になって古参の重臣たちの間で、宣則さまの名が上がるようになったのです」

利発で聡明、義に厚く、信を通す気性。若君の頃の宣則を知る者は、当時より藩主の器が備わっていた、と強く推し始めた。また、宣則ならば、まこと先代藩主の血を継ぐ正統な後継者ゆえ、如何《いか》なる反論も封じることができるとして、これに賛同する者も多い。

「そうしたわけで、宣則さま、いえ、正念さまと多少とも関《かか》わりのある某が、本日、こうしてお願いに参った次第にございます」

何とぞお聞き届けくださりたくお願い申し上げます、と多聞は深々と頭を下げた。

多聞の言い分を、正念は冷ややかな面持ちで聞き終えた。今さら十六、七の頃のことを持ち出されて藩主の器と称されても迷惑、とその顔に書かれている。多聞の嘆願は間違いなく拒まれるだろう、とお縁は思った。

太い息をひとつ吐くと、正念は多聞に向かう。

「私はすでに」

「待ちなさい、正念」

答えを突き付けようと口を開いた正念を、しかし、師の正真は制した。

「即答は許さぬ」

思いがけぬ言葉に、正念も、それにお縁も、息を呑んだ。

「ですが、お師匠さま」

驚きのあまり腰を浮かせる正念に、正真は厳しくも温かい声で命じる。

「暫し、考えることだ」

続けて正真は、多聞へ向けて、こう告げた。

「正念に熟考の時をくだされ、多聞殿。これがよくよく考えた上で出した結論であるならば、どういうものであれ、受け容れて頂く、ということで如何《いかが》かな」

またとない提案に、尾嶋多聞は、はっ、と短く応えて深く辞儀をした。

正念は半ば呆然《ぼうぜん》と、師の横顔に目を向けている。それには構わず、正真はお縁に多聞を見送るよう命じた。あとに気持ちを残しつつ、お縁は多聞とともに本堂を出た。

「正念さまは良い年の重ね方をされた」

ゆっくりと青泉寺の中を歩きながら、多聞は、しみじみと洩らす。

「役宅で取り調べを受けておられる様子を、そっと拝見したのですよ。知勇兼備にして沈着冷静、どのような局面においても決して動じることがない。真実、感じ入るばかりでした。あのかたを藩主としてお迎えできたなら、我が富澤藩は安泰です」

その言い分に安易に同意はできず、お縁は黙って多聞を裏門へと誘う。もうここで、とお縁の見送りを断ると、多聞は本堂に向かって丁重な一礼を残し、立ち去った。


夜、お縁は手洗いに立った帰り、本堂から洩れる明かりに気付いた。月の出は遅く、星明かりで庭の積雪が寒々しいところへ、蠟燭の橙色《だいだいいろ》の灯《ひ》が温かに映った。

そっと渡り廊下から本堂の入口を覗けば、一本の蠟燭が堂内を仄明《ほのあか》るく照らしている。その中ほど、正念が本尊に向かって座り、じっと沈思していた。

思索の刻を邪魔すべきではない、と考えて、お縁は静かに立ち去ろうとした。だが、踏板の軋《きし》む微《かす》かな音に、正念が首を捩《よ》じってこちらを見た。

「正縁」

名を呼ばれて、お縁は観念し、本堂の中へ足を踏み入れた。

「どうかしたのかい」

「明かりが洩れていましたので、気になって」

そうか、と正念は頷き、軽く息を吐いた。普段、見慣れている正念とは様子が違う。

お縁は畳に膝をつき、おずおずと申し出る。

「お白湯でも、お持ちしましょうか」

いや、と正念は軽く首を振り、眼差しで自身の傍らを示した。正念の意を汲んで、お縁もまた、本尊に向かって座した。

蠟燭の芯《しん》のじじっと燃える音だけが、夜のしじまを破るのみ。ふたりの仏弟子は、暫し、合わせた手を本尊へ傾けて一心に拝んだ。

「私は弱っているのだよ、正縁」

合掌を解いて、正念は吐息とともに洩らした。

弱っている、とお縁は口の中で小さく繰り返す。「迷っている」でも「困っている」でもない、弱っている、という言葉を選んだ正念に、お縁は戸惑った。

そう、弱っているのだ、と正念は言って、本尊を仰ぎ見る。

「あのあと、私は改めて師に問うたのだ。時をかけて考えるまでもなく、私の心は決まっている。それなのに、何故そうせねばならぬのでしょうか、と。師は、ただひと言、こうお答えになられた。『ひととして生きる道はひとつではない』と」

ふいに正念は本尊から顔を背《そむ》けると、拳を握り、己の腿を強く叩いた。それまで堪えていたものが炸裂《さくれつ》したかの如く、幾度も幾度も己を叩き続ける。

「齢十七で俗世を捨てて二十余年、ここ青泉寺で、正真さまのもとで修行を積んできたのだ。ただ只管に、そうして生きてきた。それなのに何故、師はそのような提言をなさるのか」

初めて目にする取り乱した姿だったが、お縁にはそれが正念の慟哭《どうこく》のように思われてならない。一体、何故、正真が弟子をこれほどまでに混乱させるような物言いをしたのか、お縁にもわからない。また、お縁自身も迷いの中に身を置いているため、正念にかけるべき言葉を見つけることもできず、項垂《うなだ》れるばかりだった。

墓寺である青泉寺は、死者の弔いを専門とする。ゆえに、正真や正念は別として、毛坊主やお縁らが本堂で過ごす刻は本来そう多くはなかった。だが、湯灌や火葬を禁じられた今、誰か彼かが本堂に座して、本尊に手を合わせるようになっていた。

このまま廃寺に追い遣《や》られてしまうのか、という不安も、本尊に向かう間に静かに引いていくのが何よりもありがたい。

そうした日々を過ごすうち、気が付けば、師走《しわす》を迎えていた。

「あら、昨日はなかったのに」

庫裏の庇《ひさし》に、短い氷柱《つらら》ができている。他の寺へ出かける正真を見送ったあと、お縁は初めて氷柱に気付いて、箒《ほうき》を手に取った。

今年は雪が多い上、まだ小寒《しょうかん》さえ迎えていないのに厳しい寒さが続いていた。酷暑をやり過ごし、ひと息ついたと思ったら、この寒さだ。近隣の年寄りや病持ちは辛《つら》かろう。案じながら、箒の柄を差し伸べて、かんかん、と氷柱を落としていく。

「申し」

裏門の方から声がした気がして、お縁は箒を操《あやつ》る手を止める。

申し、と確かに誰かが門の外で案内を乞《こ》うていた。声からすると女のようだった。

お縁は箒を置くと、裏門まで駆けていき、戸を開いた。

　そこに立つ人物を認めて、お縁は驚きの声を上げる。

「まあ」

「あや女さま」

　おさ舟に結い上げた髪に、鼈甲《べっこう》の櫛《くし》。梅花を散らした黒地紬《くろじつむぎ》の綿入れ。そり落とした眉に鉄漿《おはぐろ》。四年前とは別人の落ち着いた人妻の形《なり》をした、あや女そのひとだった。

「正縁さん、ご無沙汰しています」

　綿のたっぷり詰まった掛け衣で包んだ何かを胸に抱き、あや女は艶《あで》やかに会釈する。その抱いているものの見当がついて、お縁は非礼ではない程度に首を伸ばして、綿入れの中を覗き込んだ。生まれて八か月ほどか、頬を真っ赤にして、赤子がよく眠っている。

　まあ、とお縁は小さな声で言って、満面に笑みを浮かべた。

「可愛《かわい》らしいこと」

「咲太郎《さくたろう》、と名付けました。眠っていると大人しくて、確かに可愛いのですが、目が覚めると大変で」

　あや女は愛《いと》しげに我が子を抱いて、お縁に笑顔を向ける。

　聞けば、あや女は市ヶ谷から見送り坂の下まで駕籠《かご》で来たとのこと。吹きつける寒風が気懸かりで、お縁は風上に立ち、こちらへどうぞ、と庫裏の方へと誘った。

外に比して、朝餉《あさげ》の煮炊きの熱の残る庫裏はまだ充分に温かい。庫裏に通されるや否や、あや女はお縁に、正念を呼んでくれないか、と頼み込んだ。

「坂下で駕籠を待たせておりますし、屋敷の者には行く先を告げずに出て参りましたので、あまり長居はできぬのですが、兄上……正念さまにお目にかかりたくて。できれば、正念さまとふたりだけで、お話がしたいのです」

還俗のことで、とあや女は声を低めた。

市次らはそれぞれ手分けして掃除に励んでいるし、正真は外出中、正念はひとり本堂に詰めている。お縁は庫裏の板敷に座布団を並べつつ、はい、と頷いてみせた。


「正縁、何故、本堂ではなく庫裏なのか」

渡り廊下を歩きながら、正念は首を傾《かし》げる。

「客人ならば、本堂で話を伺うのが筋なのだが」

単に客人が見えた、としか聞かされていないため、正念が疑問を持つのはもっともだった。お縁はただ、本堂は冷えますので、とだけ応えて、先に立って歩く。庫裏まで辿り着くと引き戸を開けて、正念を先に中へ通した。

庫裏に入った途端、正念は棒立ちになる。

板敷を下りたあや女が、両の手を前で重ねて、美しく辞儀をする。

顔を上げたあや女は、正念をどう呼ぶべきか迷ったのだろう、唇を開きかけて結び直し、じっと正念を見つめた。正念もまた、あや女を見返す。思えばふたりの実母、咲也の葬儀以来の再会だった。

ふたりの緊迫が伝わったのか、板敷の座布団に寝かされていた咲太郎が、ぐずりだした。ああ、とあや女が慌てて板敷に這《は》い上がり、綿入れごと息子を抱き上げる。

だが、咲太郎は抱き上げられたことで、火がついたように泣き始めた。

「泣かないで、どうしたのです」

あや女があやしても咲太郎は小さな拳を握り、わあわあと盛大に泣くばかり。

母子の様子を見守る正念の眼差しが温かい。正念はあや女の脇に立つと、赤子の顔を覗き込んだ。

「名は?」

正念から問われて、あや女は赤ん坊に気を取られつつも、

「咲太郎と……母上の名から一文字、頂戴《ちょうだい》しました」

と、答えた。

咲太郎は正念の方へ首を捩じり、母の腕から逃れようと身体を反らす。小さな手を懸命に伸ばすその姿はあたかも正念を求めているかに映った。正念はごく自然に腕を差し伸べ、あや女も綿入れを外して、少し震える手で息子を兄に託す。正念の腕で抱き留められた咲太郎は、ほんの一瞬泣き止《や》んで、すぐにまた声を上げて泣きだした。

「温かいな」

宝を扱うに似た仕草で懐に甥《おい》を抱き、正念は呟く。

「それに存外、重い」

「眠るともっと重くなります」

あや女もまた、揺れる声で応える。そんな兄妹の感慨も知らず、咲太郎はふたりによく似た大きな瞳からぼろぼろと涙を零し続けた。

「兄上の腕の中では、目の高さが変わって怖いのかも知れませぬ」

さり気なく目頭を指で押さえて、あや女は朗らかに言う。

そうかも知れぬ、と正念は頷き、

「正縁、抱かせてもらわぬか」

と、身を屈めてお縁に咲太郎を示した。

「宜《よろ》しいのですか？」

お縁はあや女に赦《ゆる》しを求めてから、おずおずと両の腕を伸ばす。手渡された命を恐れつつ抱くと、ああ、と思わず声が洩れた。

「本当に温かいです」

お縁に抱かれて、咲太郎はきょとんと戸惑った表情になった。お縁は赤子の頬に自分の頬を寄せる。甘い乳の匂いがした。

「おお、泣き止んだ」

楽しそうに、正念が笑っている。咲太郎の大きな瞳に、お縁は自分の顔が映るのを不思議な思いで眺める。どうやら咲太郎も同じらしく、一心にお縁を見つめた。

「正縁さん」

あや女が小さくお縁を呼んだ。

「兄上との話が済むまで、咲太郎のことを見ていて頂けませぬか？」

赤子の母からの求めに、お縁は、私で宜しければ、と応じる。

「正縁は咲太郎とともに、ここに居なさい。あや女殿、冷えるが本堂で話を伺いましょう」

正念は咲太郎から眼を逸《そ》らさずに提案した。

兄妹が本堂へと向かい、咲太郎とふたりきりになると、お縁は腕の中の重みを慈しみっつ、その柔らかく細い髪に鼻を寄せる。

「甘くて良い匂いねえ」

思えば、息のある赤子をこうして抱くのは初めてのことだった。

俗に「七歳までは神のうち」と言われるように、七つにならない子が亡くなった場合、葬儀も何も行わず、身内だけで埋葬して済ませる者が多い。それでも、青泉寺では望まれれば弔いもしたし、お縁の手で湯灌も行っていた。

冷たく固い子どもの亡骸を洗い清めるのは、どうにも切ない。死の意味を知らぬ子は、湯灌の盥《たらい》に浮かべられると、声なき声で、問いかけてくるのだ。どうして、と。

お縁はそれに対する答えを持たない。

「あら」

咲太郎の小さな手がお縁の頰に触れる。お縁は自分の掌をその手に重ねあわせた。

あー、と咲太郎は嬉《うれ》しそうに声を出し、もう片方の手でお縁の唇を触り始めた。

生きている。

この子は生きている。

その温かさ、愛らしさに、お縁は胸が詰まった。

常に死と対峙《たいじ》しているからこそ、腕の中にある命が一層、光を放つ。

自分もこの世に生を受けた時は、こんな愛らしさだったのだろうか。父にも母にも、こんな風に抱き上げられたのだろうか。その行く末に幸あれ、と願われたのだろうか。

咲太郎を見つめるお縁の瞳に、わけもなく涙が膜を張り始めた。


「正縁さん、御免なさい」

乳を求める咲太郎の声が本堂まで届いたのか、あや女が慌ただしく庫裏に戻った。

「あや女さま、申し訳ございません」

大事な話の途中ではなかったか、とお縁は身を縮めつつ、泣き声を上げる咲太郎を母親の腕の中に戻した。あや女は帯を緩め、胸をはだける。

過って誰も入って来ないように、庫裏の引き戸に心張棒《しんばりぼう》をかました。そして、授乳の光景を見ないよう、お縁はあや女と背中合わせになり、引き戸の方を向いて立った。

んくんく、と赤子が乳を飲む気配と、とんとん、と綿入れ越しに身体を優しく叩く音が聞こえて、お縁は何とも幸せな心持ちになった。

そういえば、と先ほどの正念の笑顔を思い返す。正念もお縁もともに苦悩の中にあり、笑うことなど忘れていた。咲太郎の存在がそれを思い出させてくれたのだ。

正縁さん、とあや女は授乳しながらお縁に話しかける。

「藩主の跡目を継ぐ者が決まらなければ、富澤藩松平家は取り潰しになる。だからどうあっても正念さまに還俗して頂くよう説得するのだ、と父は申しておりました」

ここに来たのも父の願いを受けてのこと、とあや女は語る。

「なれども、今日、兄上と正縁さんにお目にかかって、還俗をお願いする理由が変わったのです」

授乳を終えたのか、咲太郎の小さなげっぷが聞こえた。

お縁はあや女の話の続きをじっと待った。襁褓《おしめ》を替えている気配がして、そのあと、正縁さん、と優しく呼ばれた。ゆっくりと振り返れば、綿入れで息子を包み、帰り仕度を整えたあや女が微笑んでいた。若い母親は続きを話す気配を見せない。

「屋敷の者が皆、心配しているでしょうから、そろそろお暇《いとま》いたします」

裏門まで送って頂けますか、とあや女はお縁に頼んだ。

本堂に残る正念に声をかけなくて良いのだろうか、と迷いつつ、お縁は庫裏を出て、裏庭をあや女と並んで歩く。

「正縁さん、私ね、兄上にこう伝えたのです。正縁さんは三昧聖ではあるけれど、尼僧とは違うから、兄上が還俗なされば夫婦《めおと》になることもできるでしょう、と。おふたりはまこと似合いの夫婦になられます、と」

あや女の台詞に、お縁は驚愕し、身体が強張って動かなくなった。

あや女はそんなお縁に目を留めて、ふっと哀しげに笑んだ。

「兄上と同じ表情をなさるのね、正縁さん」

ちらちらと、空から白いものが落ち始める。小さな雪の粒は、気まずく黙り合うふたりの女の髪を飾った。あや女は綿入れを引っ張り上げて、咲太郎の頭を守る。お縁は漸く我に返り、先に立って裏門を開いた。

「私は信心の道には明るくなく、的外れなのかも知れませぬが」

裏門を出たところで、あや女は言葉を選びつつ、思いを込めて話す。

「仏の教えを信じ、心を向けて生きることは、僧籍の有無にかかわらないのでは、と。たとえ僧籍を離れても、御仏を常に心に抱き、生きることは許されて良いのではないでしょうか。二世を誓う相手が居て、子を儲《もう》け、自分たちの血が脈々と受け継がれていく。そうした生き方を兄上も正縁さんも、拒むことはないのでは、と思うのです」

自分が子宝を得たからかも知れませぬが、とあや女は控えめに言い添えた。

小雪舞う中、咲太郎を抱いて、見送り坂を下っていくあや女を、お縁は裏門の外に佇んで見送った。驚愕はまだ胸を去らず、ただ、咲太郎の温かな重みが残る両の腕を胸の前で交差させて、身の震えに耐えた。

煮炊きの名残りもとうに消え去った庫裏に、箸《はし》のついた形跡のない朝餉の膳《ぜん》が置かれたままになっている。先刻よりそれを市次たちが心配そうに眺めていた。

「正念さま、今朝もか」

勿体《もったい》ないから、と三太が小皿の沢庵《たくあん》漬けを摘《つ》まんで、ぽりぽりと良い音をさせる。

「一昨日からずっと、本堂に籠《こも》られたきりだぜ」

開け放った障子越しに本堂に目を向けて、仁平が案じる声を洩らせば、市次が、そりゃあ当然だろう、と声を低める。

「正念さまが還俗して藩主に収まらないと、跡目争いに決着はつかないって話だ。藩の運命がかかっているし、そう易々と決められるはずもない」

「そうかなぁ、俺ぁ意外だったぜ」

沢庵を齧《かじ》りつつ、三太は首を捻った。

「藩がどうなろうが、正念さまなら迷うことなく断るはずだと思うがなあ。実の母親の死に目にも会いに行かなかったひとなんだぜ」

「三太、お前は実に考えが浅い。浅すぎる」

ふた切れ目の沢庵に伸ばされた三太の手をぴしゃりと叩いて、市次は声を荒らげる。

「正念さまは母親を守るために冷徹な振りをされていただけだ。そのこたぁ、お前もあとから知ったはずだろ。心根は途方もなく優しいかたなんだ。だからこそ、あんなに苦しんでおられるんじゃねぇか」

ふたりの遣り取りを黙って聞いていた仁平が、ぽつりと、そうだろうか、と呟いた。

「毛坊主の俺の勝手な解釈だが、仏道には慈悲も非情もつきものだ。正念さまにしたって、そんなこたぁ百もご承知だと思うんだがなあ。悩みの根っこにあるのは、存外、己の信心なのではないか」

仁平の台詞は、鋭い針となってお縁の胸に刺さる。

耐え難い息苦しさを覚えて、湧水を汲んでくるのを口実に、お縁は庫裏を出た。

雪も残り、大変な寒さながら、幸いにも風はなく、注ぐ陽射しに慰めを得る。

青泉寺の裏手から山を西に分け入ったところに、気に入って時々訪れる場所があった。そこからだと落合を隅から隅まで眼下に望むことができるのだ。雪で滑る山道を一歩一歩踏みしめて、先を目指した。

つつ、ぴーぴー

ちぃちぃ、ぴーぴー

あれは山雀《やまがら》か、四十雀《しじゅうから》か、冬枯れの山に小鳥の鳴き声が彩りを添える。徐々に樹々が途切れ、やがて一気に視界が開いた。お縁は両腕を一杯に広げて光景を抱き留める。

手前をうねうねと蛇行する妙正寺川《みょうしょうじ》、遥か彼方《はるかかなた》、冬陽を受けて煌《きら》めいているのは神田上水。別々の水源から流れるこのふたつの川は、ともに曲がりくねり、いたるところに水の恵みをもたらして、最後、一枚岩のところでひとつに合わさるのだ。あれだけ離れている川同士、よもやひとつの流れになるとは思いもよらないことだろう。

お縁は神田上水の上流に目を凝らした。そこに泰雲寺、という尼寺があるはずだった。

その昔、ふさという名の武家の娘が、十七で儒医に嫁ぎ子をなした。だが夫と別れ、仕えた姫君をも喪《うしな》ったことで世を儚《はかな》み、出家を願った。美貌《びぼう》が出家の障りになると知り、自ら顔を焼いた。修行を重ねて了然尼《りようねんに》を名乗り、あの寺を建立《こんりゆう》したと聞く。地元のひとびとの信仰を集めた泰雲寺ではあったが、了然尼の遷化《せんげ》から百年近い時が流れた今、随分と寂しいありさまになった、との風の便りを耳にしていた。

永代橋の崩落事故で、自身の生涯を三昧聖で通そうと決めた。亡きひととの無念に、遺されたひとの悲しみに、寄り添うことでこの命を全うしよう、と固く誓ったはずが、思いがけず心が揺らいでいる。

お縁は両の掌を開いて、じっと眺めた。この手で十五の時からずっと新仏を清めてきた。それこそ数え切れないほどの亡骸に接してきた。なのに、ただ一度、健《すこ》やかな赤子を抱いただけで、手がその温もりを、重さを、忘れたくない、と訴えてくる。あや女の提案に、心が乱れ、揺れ続けていた。師から指摘された信心の足りなさを、その通りと認めるより他ない。

自ら顔を焼いてまで仏道を志した了然尼と、何という違いだろうか。

――二世を誓う相手が居て、子を儲け、自分たちの血が脈々と受け継がれていく。そうした生き方を兄上も正縁さんも、拒むことはないのでは、と思うのです

あや女の言葉が、今も耳の奥に木霊《こだま》する。

青泉寺の傍で行き倒れになりかけた時から、ずっと、正念に守られてきた。信吉《しんきち》に手籠《てご》めにされかかった時に、正念に助けを求め、結果、危《あや》うく正念に信吉を殺《あや》めさせるところだった。その後も、迷いが生じる度に、正念に導いてもらった。これまで正念を兄のように慕い、敬ってきた身。

ふと、先達て自らが湯灌した、心中の片割れの男のことが脳裡を過った。男女の情欲に溺《おぼ》れる、という経験がお縁にはないが、死を選ばねばならぬほどの苦しみだったのだろう。顧みれば我が父も、同じく男女の業の苦しみを背負ったまま息を引き取っ

た。だからこそ、お縁自身はそうしたものと生涯関わりたくない、と思っていた。ただ、とお縁は唇を引き結ぶ。ただ、あや女の言葉を聞いた時、全く不意に、我が身も命を産みだせるかも知れない、と気付かされてしまったのだ。還俗した正念と、男女の情を交わし、新たな命を宿すのか。そうして授かった我が子をこの手に抱くのか——果たして、自分はそれを望んでいるのか。考えれば考えるほど、お縁は混乱するばかりだった。

「何だ、今日は桜最中はないのか」

臨時廻り同心の窪田主水は、菓子鉢の砂糖煎餅《せんべい》を覗き見て、不服そうに口を曲げた。

済みません、と詫びて、お縁は窪田の前に茶を置く。小寒を過ぎたあたりから、桜花堂からの届け物は滞っていた。

今回の事態が生じて、お香から気遣う文をもらったが、その結びに、住職に相談したいことがあるので、落ち着いた頃に改めて青泉寺を訪ねたい、と記されていた。お染も産み月を迎える頃なのに、吉報もまだ届いていない。桜花堂で何か不和が生まれているのだろうか、とお縁は胸塞《ふさ》ぐ思いだった。

ばりばりと賑やかに煎餅を食べ、茶を啜《すす》ると、窪田は物々しく告げる。

「これはまだ噂の域を出ぬのだが、寺社奉行たちの間でも、此度《こたび》のこと、随分と意見が分かれているそうだ」

それを聞き、土間で草鞋《わらじ》を編んでいた毛坊主三人が、競って板敷に這い上がった。

「窪田の旦那、一体どういうことで」

にじり寄る仁平を、まあ落ち着け、と制して、窪田は得意そうに続ける。

「様子見を続けて青泉寺が自ら滅するまで待つか、それとも一気呵成《かせい》に取り潰すか、寺社奉行を務める大名連中も内寄合《ないよりあい》で頭を抱えている、と聞いた」

身内が永代橋の事故に何らかの形で巻き込まれた者は自ら手を下すことを厭《いと》い、そうでない者は素早い処分を望んで意見が割れ、なかなか決定に至らないのだとか。

「こういう時は誰かひとり横紙破りをすれば、存外、意見もまとまるものなのだが、町奉行に比して寺社奉行連中は育ちの良い分、押しが弱いのだ」

思い悩んでも仕方ない、暫くはのんびり過ごすことだ、と去り際に窪田は言った。

「結局、何の役に立ってんだ、あの旦那は」

窪田の背中に向かって歯を剝く仕草をして、三太は吐き捨てる。

まあまあ、と市次が三太を窘《たしな》めた。

「今の青泉寺に足を運んでくれるのは、窪田さまと、それに尾嶋家の使いだけだからな。まあ、気にかけてくれてるだけありがたい、とでも思っておこうぜ」

市次の台詞に、確かに、と仁平が苦く笑った。

このところ、尾嶋多聞から正真のもとへ、三日にあげず使いが文を届けていた。件《くだん》の返答を求めるものだが、正真は使いに対し、

「尾嶋殿には、かねての約束通り『暫し待たれよ』とお伝えくだされ」

と、短い言伝《ことづて》を頼むだけなのだ。

こうして青泉寺では、住職である正真を除き、それぞれが心に不穏と懸念を抱いて、師走の日々を過ごすのだった。


師走二十五日、いよいよ大寒を迎えた。

前夜より猛吹雪が下落合から内藤新宿一帯を襲った。明け方に雪は収まったが、青泉寺の庭、本堂や通夜堂等の屋根も分厚い積雪に覆われ、辺りは白銀一色となった。

「昨日から今日にかけて、亡くなるひとは多いだろうな」

通夜堂の屋根の雪をおろし終えた三太が、梯子《はしご》を下りてきた。庭の雪搔きをしながら、そうだな、と市次が難しい顔で頷く。

搔いた雪を隅に寄せていたお縁は、塀の方を眺めて思案顔になる。

「見送り坂の雪は掻かなくて良いのかしら」

「あのままで良いに決まってるだろ」

あの坂を上ってくるのは尾嶋家の使いと窪田の旦那くらいなもんだぜ、とふてくされて、三太は乱暴に額の汗を拭う。

まさにその時、雪掻きしていない見送り坂を、侍が三人、小者《こもの》を先にやってかんじきで道を作らせつつ、青泉寺目指して上ってきていた。一番年長の四十がらみの武士は、寺門の封が解かれていないのを確かめると、よし、と頷き、裏門へと回る。そして、どんどん、と激しく戸を叩き始めた。

「直《ただ》ちにここを開けよ」

それまで静寂の中にあった青泉寺の平穏を打ち破るように、その音は鳴り響いた。

丁度、裏の畑で大根を抜いていた仁平は、不意の騒音に驚き、雪の中を転がって裏門を目指した。

大丈夫だ、俺たちもここに控えているから、と渡り廊下で市次が囁く。

仁平も三太も、何かあれば任せろ、という風に拳を握った。三人の使者を本堂に通したあと、お縁ひとりが話し合いの場に呼ばれたのだ。内心の不安を押し隠して、毛坊主たちに頷いてみせると、お縁は渡り廊下から本堂へと入った。

火の気のない堂内で、使者たちを前に、正真は固く口を結んで熟考している。

傍らに控える正念は、その顔に不審の色を滲ませた。

「藩の名も、いずれの御家中かも名乗られず、三昧聖の湯灌を望まれるとは……。そもそも青泉寺が今、どのような状況にあるのか、ご存じなのか」

正念の疑問に、三十代と思しき武士は、無論、と深く頷く。

「訃報とは元来、如何なる都合も考慮することなく、唐突に届くもの。かねてより故人の願いであった『三昧聖の手による湯灌』を叶えたく、先刻より頼んでいるのだ。断ることがあっては、そこもとのため、否、この寺のためにならぬと心得よ」

湯灌そのものも青泉寺ではなく、故人の屋敷で行うのだから、寺社奉行の命に背くことにはならない。すでに菩提寺の僧侶も呼び、用意もじきに整う。すぐに三昧聖を同行させよ、と武士は威圧する語勢で命じた。

本堂の入口傍に控えていたお縁は、使者の言い立てることを戦《おのの》きつつ聞いていた。湯灌を望んだ故人とは、何処の誰か、男か女なのかもわからない。ただ、言葉の端々から、よほどの身分であることが推察された。

断れば厄介なことになる、とお縁は思い、正真と正念の方へと身を傾けた。

「正真さま、正念さま、私に先様へ出向くことをお許し頂けませんでしょうか」

いけない、という体《てい》で頭を振ると、正念は隙《すき》のない平らかな声で応える。

「青泉寺で湯灌を執り行うのなら、何処の家中のどなたなのか、わからずとも良い。しかし、こちらから出向いて、となれば話は別だ。正縁を身の危険に晒しかねない」

「無礼な」

最も若年の武士が気色ばんだ。

「屍洗《かばね》いどもが図に乗りおって。何が身の危険だ。御前さまも何故このような輩《やから》」

自分で言っておいて、しまった、と思ったのか、若侍は途中で言葉をぐっと呑み込んだ。先の武士も、露骨に顔を顰《しか》めている。

御前さま、の敬称で呼ばれるのは、ごく限られた身分の者だけだった。旗本なら千石以上の当主、あるいは、確か、格上の大名の正室もそう呼ばれるはずだ、とお縁は唇を一文字に引き結んだ。

それまで黙っていた年嵩《としかさ》の武士が、不穏な雰囲気を払拭するように、二、三度、咳《せき》払《ばら》いをする。そして改めてお縁の方へ身体ごと向き直った。

「昨夜、亡くなられたのは、四十末の女人である。胸を患い、ここ数年は下屋敷にてご静養なされていた。もとはとても美しいかただったが、病みやつれ見る影もない。

常々、三昧聖による湯灌を望んでおられ、亡くなる数日前にも周囲に念を押しておいでだった。是非ともその願い、聞き届けて頂きたい」

実の籠った声だった。身分を盾にするのではなく、故人の想《おも》いを理由にされたこと
で、お縁の頭から雑念がすっと抜け落ちた。

「やはり、行かせてくださいませ。そのように願っておられた新仏さまを、私の手で
湯灌させて頂きたいのです」

正真が頷いて、両眼を見開いた。使者らを順に見て、住職は厳粛に伝える。

「ここに居る正念も同行させる、という条件を呑んで頂けますかな」

いや、それは、と三人は戸惑いを隠さない。僧籍を持つ正念は、寺社奉行の支配を
受ける立場にあった。あとで厄介なことになれば、との考えもあるのだろう。

「湯灌は約束事も多い上に、正縁なりの湯灌の作法に慣れた者が手伝うのが良い。そ
れを拒むと申されるのならば、この話は」

「一切、承知仕《つかまつ》った」

断りを口にしかける住職の言葉を遮り、年嵩の武士が両の手をついて頭を下げる。
残るふたりも、渋々、といった態度で辞儀をした。

三人の使者たちは先に屋敷へ向かい、お縁と正真は小者の先導で但馬橋を渡り、諏《す》訪《わ》村から西大久保へと歩を進める。雪掻きや雪踏みしてある道は良いが、積雪に足もとが濡《ぬ》れて、爪先は痛んだ。

「正縁、大丈夫かい」

歩みの遅れるお縁を案じ、正念が戻って声をかける。

大丈夫です、と答えるお縁に、正念はそれでも気懸かりそうな視線を向けて、娘と歩調を合わせゆっくりと歩きだした。小者との間に少し距離ができる。

「あや女殿のことがあって以来だ。正縁と、こうして話すのは」

いつもと変わらぬ優しい物言いだった。

何の言葉も発しないまま、お縁は頷いた。一旦口を開けば歯止めが利かなくなり、惑いや迷いなどの心情をさらけ出してしまいそうで、恐かった。

お縁から眼を逸らし、躊躇う様子を見せたあと、正念は密やかに打ち明ける。

「還俗して正縁と夫婦になれば良い、とあや女殿に勧められたのだ」

お縁はただ黙っていた。

畦道《あぜみち》に、童らの作った雪まろげが呑気《のんき》に転がっている。それに目をやって、正念は太く息を吐いた。

「情けないことだが、私は師から『暫し考えよ』と命じられた時よりも、遥かに動揺してしまった。咲太郎を抱き上げたことがその予兆のようで、心が千々に乱れてならない。今までの厳しい修行は一体何だったのか、と己を恥じているのだ」

あらゆる欲を捨て、修行に専心してきたはずが、妻や子を持つことを思い描いてしまった。正縁と、子を得ることを考えた。色情は泥沼、というがまさにそこに身を置いているようだ、と正念は情けなさそうに頭を振った。

正念さま、とお縁は呼んで、

「私も、あや女さまから、同じことを言われました。その時からずっと、深い迷いの中にあります。泥に首まで浸かっているようで、苦しくて苦しくてなりません」

と、声を落とした。

正念は瞠目《どうもく》し、立ち止まってお縁を見た。

お縁もまた、歩みを止めて正念を見上げる。

相手が心底惑い、悩み苦しんでいるのを、ふたりは互いに汲み合っていた。

男と女として契り、夫婦となるのか。

仏道を只管に行くのか。

相手を大切に想う気持ちがなければ、迷うことはない。また、修行者として己が確立されているなら、やはり迷いもない。仏の道を行く者として未熟なのだ、と責められ、改めて覚悟を問われているように、ふたりには思われた。

「お師匠さまが私に『暫し考えよ』と仰ったのは、私の信心の浅さ、覚悟のなさを見越してのことだった――漸く、それに気付いたのだよ」

正念は暗く沈み、お縁もまた、自身にその言葉を重ねて項垂《うなだ》れる。

かなり前を歩いていた小者が振り返り、お急ぎくだされ、と苛立《いらだ》ちの声を上げた。

青梅《おうめ》街道に入れば、流石《さすが》に道に雪はない。泥撥《は》ねに用心して歩くうちに、内藤新宿の上町に入った。四谷大木戸を抜けるのかと思ったが、小者は目抜き通りから左手へと折れる。天龍寺《てんりゅうじ》の鐘が昼九つ（正午）を知らせていた。

小者について歩き、白壁の塀や、そこから覗く松や槙《まき》の枝ぶりなどを眺めていて、お縁は妙な心持ちになった。内藤新宿には、内藤駿河守《するがのかみ》、戸田越前守を始め、名だたる大名家が中屋敷や下屋敷を構える。一度、さる大名家の下屋敷で湯灌をしたのをきっかけに、他家からの依頼が続いたことがあった。最近はめっきり足が遠のいていたのだが、どうにも周辺の情景に見覚えがあるのだ。

大名屋敷の門が見えてきた時に、お縁は、ああっ、と息を呑む。

忘れもしない、お縁が十七だった時に、正念とともに初めて訪れた、件の大名家下屋敷だった。

六年前のあの日、油屋のお紋《もん》という町娘から「屍洗い」との侮蔑《ぶべつ》の言葉を投げられ、初めての屈辱に打ちのめされた。動揺を堪えて、この下屋敷で大名正室、ふみの乳母《うば》の湯灌をしたのだ。長旅の無理が重なって亡くなった乳母の亡骸を丁寧に洗い清め、死に化粧を施したところ、ふみは大層喜び、お縁の手を取って謝意を述べた。

――ありがたいこと。この手で清められて、乳母も心穏やかにお浄土に旅立てたことでしょう。ほんに得がたい手よ
ふみからかけられた言葉は、熱い炎となって、お縁の心に蔓延《はびこ》っていた蔑みの言葉を瞬時に焼き払った。そして今なお、お縁の心の隅で、眩しい光を放ち続けている。

ふみのひと言は、三昧聖を続けるお縁にとって、かけがえのない宝なのだ。

屋敷の門を見つめるお縁の胸がざわざわと騒ぎ始めた。先の使者は、家名などは伏せた上で、新仏のことを四十末の女人と話していた。老中まで務めた大名の正室ならば、「御前さま」と呼ばれるのではないか。だとすれば、もしや亡くなったのは……。

「正念さま」

震える声で正念を呼べば、正念も同じことを考えていたのだろう、強張った面持ち

のまま、お縁に頷いてみせる。

小者が到着を告げ、屋敷の中から菩提寺の僧侶であろう者が数名、正念とお縁を迎えるために慌ただしく現れた。

中庭の雪は除かれて、湯灌の準備はすでに整っていた。亡骸は庭に面した寝所に安置され、付き添う女中らが各々袂で顔を覆う。女たちが悲しみに暮れる中、薫《かお》り高い香が焚かれ、死者を慰める。

庭に設けられた遺族の席には、主と思しき風格のある白髪の男が難しい顔で座し、その傍らにまだ元服前であろう若君、少し離れて家臣らが畏《かしこ》まって控えていた。

作法通り、白麻の着物に縄帯、縄襷《なわだすき》の装束に着替えたお縁は、新仏の枕もとに座ると深く一礼し、面布を取る。布の下から現れた顔を見て、驚きのあまり息が止まった。

病みやつれている、と聞いてはいたが、頬はこけ、目は落ち窪《くぼ》み、肌の色は青黒い。崩した髪には少し白いものが混じる程度だが、顔つきを見れば、四十末どころか、老《ろう》婆《ば》にしか見えない。前回、湯灌した乳母の方がよほど若々しかった。

大名家の奥を束ねるに相応《ふさわ》しい風格、ふくよかな顔立ち、包み込むような笑顔の美しいひと――六年前の面影は何処にも見受けられず、本当にこれがあの「ふみ」なのか、とお縁は我が目を疑った。

狼狽《ろうばい》を何とか封じ、お縁は正念と息を合わせて亡骸を抱き上げる。そのあまりの軽さに驚くお縁に、正念の眼差しが、落ち着きなさい、と諭した。

菩提寺の僧侶らの柔らかな読経が澱《よど》みなく流れ始めて、中庭に置かれた一枚の真新しい畳に亡骸が横たえられた。お縁は新仏の脇に両の膝をつくと、傍らに置いていた風呂敷から帷子《かたびら》を取り出してぱっと広げ、侍たちの視線を遮った。それを待って、正念が亡骸に掛けられていた小袖を外した。

やせ細り、あばら骨が浮いて、痛々しい。在りし日の、健やかで華やかな姿を知っているだけに、その変貌はお縁の胸を射抜いた。

お苦しかったでしょうに、と胸の内で呟いて、広げた帷子をふみの亡骸に着せかける。湯灌を行う際、女人の裸体を人目に晒さぬように、とお縁が縫い上げた帷子は、純白の布を重ねて、濡れた時に少しでも透けにくい工夫がしてあった。

逆さ水の作法に倣《なら》い、湯を足した盥に、羽の如く軽くなったふみの亡骸をゆっくりと沈めた。薄く湯気の漂う中、正念とお縁は手分けして丁寧に、真心を込めて、ふみの身体を洗っていく。もう長く結っていないのだろう、ひとつにまとめた髪は油も塗られておらず、湯の中で心地よさそうに揺蕩《たゆた》った。

――そなた、出自は武家であろう

張りのある若々しい声が耳に蘇る。

さる藩主の正室、と聞いていたが、老中まで務めた大名の妻として生きる日々はさぞかし苦労も多かったことだろう。また、老いた夫が今なお大名の地位に留まる、ということは、跡を継ぐべき者が次々と亡くなり、年若い後継者が成長するのを待たねばならない、という事情があるのではなかろうか。下屋敷での静養中も、決して気の休まる時はなかったのではないか、とお縁はふみの胸中を慮った。

御前さま、とお縁は心の中で呼びかける。お体も、お心も、お辛かったのではありませんか、と。どうか、お浄土にて、ゆっくりお休みくださいませ、と。

一心不乱《いっしんふらん》　其人臨命終時《ごにんりんみょうじゅうじ》
阿彌陀佛《あみだぶつ》　與諸聖衆《よしょしょうじゅう》　現在其前《げんざいごぜん》
是人終時《ぜにんじゅうじ》　心不顛倒《しんぷてんどう》　即得往生《そくとくおうじょう》
阿彌陀佛　極楽國土《ごくらくこくど》

往生を説く高僧の読経が、温かく厳かに響き渡る。

経文に載せて、お縁は不思議な声を聞いていた。

——生涯を通じて真に願ったのは、家中の安泰や繁栄などではない。ただ、女としてのささやかな幸せのみ。一度契れば決して他を顧みない雌雄の鶴《つる》のように、一途に相手を想い、また、同じように相手から想われることだった
その声は、記憶に残るふみのもののように、お縁には思われた。

物言わぬはずの亡骸の、哀しい声は続く。

——けれど、その願いが叶えられることは、決してなかった。心の交わりなど一切求められず、次々に庶子の産まれるのを見守るばかり。正室とはかようなものと重々承知していたけれど、常に底なし沼に埋もれているような息苦しさだった
苦悩に満ちた声を聞くうちに、盥の湯が、いつしか泥土と化す幻をお縁は見ていた。嫉妬《しっと》、情念、憎悪、情欲、喩《たと》えるなら、そうしたおどろおどろしい感情が泥に姿を変え、ふみばかりか、お縁や正念まで呑み込もうとしていた。

ふみの夫である藩主は、油屋お紋を見初《みそ》め、側室に、と望んだが、おそらく側室に迎えようとしたのはお紋ばかりではなかろう。それが武家の習いとはいえ、正室として平然と振る舞わねばならないのは、どれほどの痛みだったか。

お縁はふみの無念を思い、泥土を洗い流すようにふみの身体を清めていく。周囲の

音は消え、僧侶の唱える阿弥陀経だけがお縁の胸に慈悲深く響いている。

お浄土がどんなところか、確かにひとはそこに生まれ変われるのか、と尋ねられたなら、お縁も自身の体験として答えることはできない。専ら阿弥陀経で唱えられる極楽浄土を信じ、この世の苦しみを脱して、往生することを心から願うばかりなのだ。

どうかもう、お心を軽やかにお保ちくださいませ。

妬《ねた》みや憎しみ、といった泥土から魂をお解き放ちくださいませ。

お縁の祈りが届いたのか、新仏の顔が僅かに安らいだ。また、固く強張っていた腕や足も、優しく揉み解されるうち、柔らかく寛いでいく。

刹那、泥土の中で、蓮《はす》が葉を広げる幻が瞳に映った。茎が伸び、先が薄紅に染まった蓮の花蕾《からい》が次々と生まれていく。薄紅の蕾越し、慈悲の眼差しを新仏に向け、この上なく優しい手付きで洗い清める正念の姿があった。

正念がこちらを見る。正念の目にも泥土の蓮が映っているのか、表情を引き締めて、ゆっくりと肯首する。見つめ合ったのは、ほんの一瞬だった。

男と女としての現世での契りには限りがある。

ともに手を携えるのならば、夫婦としてではなく、御仏の弟子として同じ道を進む存在でありたい。

互いの瞳にそうした願いを読み取った時、一斉に蓮の蕾が開いていった。純白に柔らかな紅を差した美しい蓮の花で、泥土は埋め尽くされていく。あれは極楽浄土に棲《す》む迦陵頻伽《かりようびんが》という鳥のものか、涼やかで華やかな鳴き声が、お縁の耳に届いた。

亡骸に詰め物を施し、櫛《くし》で髪を丁寧に梳《けず》ると、後ろで軽く結ぶ。綿を解して、口の中に指を差し入れ、痩《や》せこけた頬の内側に少しずつ詰めれば、かつてのふっくらとした面影が少しだけ蘇った。

「三昧聖、これをお使いくださいませ」

女中頭《がしら》と思われる女がお縁の傍らに跪《ひざまず》き、螺鈿《らでん》細工の箱の蓋《ふた》を外して差し出す。中身は色みの違うだろう紅が三種、そして柘植《つげ》の櫛が一枚。

「御前さまは常々、この身に何かあれば、青泉寺の三昧聖に湯灌を任せたい、その折りにこれを使ってほしい、と仰《おお》せにございました」

真っ赤な目をお縁に向けて、女はそう告げた。中庭の一隅に待機している女中たちの間から、すすり泣きの声が洩れる。

お縁は受け取って紅猪口《べにちょく》の底の紅を削り取り、手の甲に載せて水と合わせた。玉虫色の高価な紅は、水と出会うことで上品な薄紅色となった。他の紅も試して、色を確かめる。そして、お縁は薄い色を新仏の頰に載せ、丁寧に指で伸ばした。閉じた瞼《まぶた》の中ほどに桃花色の紅を置き、両側に向かって指でぼかす。唇には一番華やいだ珊瑚朱《さんごしゅ》の紅を用いた。色を失った両の指の爪先も、同じ紅で染める。最後に、髪に柘植の櫛を差して、装いを終えた。

新仏に一礼して、そっと後ろへ下がる。視界を阻むものが無くなり、ふみの姿が露《あらわ》になった時、隅に控えていた女たちも、それに家臣たちも、声にならない吐息を放ち、一斉に身を乗りだした。

病み衰えて亡くなったはずのふみは、かつての健やかな面差しを取り戻し、満足そうに微笑んで眠っている。御前さま、御前さま、と女中たちの切なく呼ぶ声が重なり、嗚咽《おえつ》がそこかしこから洩れた。

藩主と思《おぼ》しき男がおぼつかない足取りで歩み寄り、ふみの傍に身を屈める。

「何故《なにゆえ》か」

還暦をとうに過ぎた藩主は、正室の髪を飾る櫛に目を落とし、

「何故、かように粗末な櫛を死出の仕度に用いるのか。金蒔絵《きんまきえ》か螺鈿象牙《ぞうげ》か、奥に相応しいものと取り換えよ」

と、語調を強めて、平伏している女中頭を叱責する。

恐れながら申し上げます、と女は涙に濡れた面を上げると、藩主に訴えた。

「御前さまはずっと『生きている間は、驕《おご》りの鎧《よろい》を身に着け、嫉妬という醜い性根を捨てることができなかった。もしもお浄土に行かせて頂けるのならば、全て捨て去った証として、倹《つま》しい柘植の櫛を持たせておくれ』と仰せにございました」

藩主はうなだれ、亡骸の傍らに両の膝をついた。そして、妻の髪の櫛に触れて、

「まこと、奥はそのように清らな心根の女人であった」

と、苦しげに声を絞った。


「あら」

ふみの湯灌を無事に終えて、青泉寺まで辿り着き、裏門を潜った途端、お縁の鼻は懐かしい香りを認める。それはとても淡く、微かな匂いだった。すんすん、と鼻を鳴らすお縁を見て、正念もほろりと笑い、鼻から深く息を吸った。

「はて、何の匂いもしないようだが」

首を捻る正念を置いて、お縁は本堂へと駆けだした。

芳ばしい皮の香り、それに、甘く優しい匂いは大島桜の葉の放つ特有のもので、ともに桜最中の香りだった。桜花堂から使いが来たに違いないのだ。

丁度、菓子折りを重ね、渡り廊下を渡っていた三太が、お縁を認めて声を張る。

「正縁、ついさっき、桜花堂の女将……正縁のお母さんが正真さまとの話を終えて、帰っていったぜ。七曲坂辺りで駕籠とすれ違わなかったか」

気が付きませんでした、とお縁が頭を振ると、本堂から市次が顔を覗かせる。

「昨夜《ゆうべ》、仙太郎さんとこに無事に男の子が産まれたそうだぜ。桜花堂に跡取りができた、と女将さんも大喜びだった。母親も赤子も元気だそうだから、安心しな」

漸く届いた吉報に、お縁は思わず手を合わせた。たとえ血の繋がりはなくとも、お香にとっての初孫になる。無事に産まれてくれて良かった、とお縁は日本橋の方角に向き直って、仙太郎とお染、そしてお香に胸の内で祝福をした。

本堂に上がってみれば、お供えとして桜花堂の桜最中が盛大に積み上げられていたが、住職の正真の姿はすでに無かった。

「師走は桜最中の注文が殺到して、青泉寺まで手が回らなかったそうで、お詫びも兼ねて、ってことで、こんなに持ち込まれたのさ」

お縁に説明する市次の横で、三太が、そう言やぁ、と思い出した体で付け加える。

「孫の産まれた報告にしちゃぁ、女将は随分と長いこと正真さまと話し込んでたぜ」

たっぷり一刻（約二時間）は本堂に詰めていた、と聞いて、お縁は考え込む。以前の文に、住職に相談したいことがある、と記されていたことを思い返していた。

さらに三日が過ぎ、暮れも押し詰まった日、青泉寺の本堂に、今度は尾嶋多聞とあや女、ふたりの姿があった。正真からの連絡を受けて、件の嘆願の返答を聞きにきたのだ。お縁は正真に命じられて、同席することとなった。

この三日の間に積雪は溶けてなくなり、たっぷりと水気を含んだ境内の土が陽に照らされて、微かな湯気を立ち上らせている。季節が冬から春へと、畳の目ほど僅かながら、動く気配があった。だが、重苦しい雰囲気に包まれた堂内では、それに気付くほど、余裕のある者は居ない。

「では、還俗はしない、と」

「左様。拙僧はこれまで通り青泉寺の副住職を務めさせて頂き、還俗は致しませぬ」

多聞の緊迫した問いかけに、正念は明瞭に答えた。あや女は落胆の色を隠さない。

多聞は悲痛な顔つきで、正真へと迫った。

「御住職、何とぞ慈悲の心をもって正念さまをご説得頂きたい。さもなくば、我が富澤藩松平家はいずれ取り潰しとなってしまう」

「最初の約定通り」

ゆっくりとした動作で、正真は立ち上がる。

「正念自身がよくよく考えた上で出した結論であるならば、どのようなものであれ、受け容れて頂く。この件に関して、最早《もはや》何も申し上げることはござらぬ」

失敬、と言い置くと、正真は本堂を出ていった。正念も多聞に一礼すると、あとに続く。遺された多聞は頭を抱え、呻き声を洩らして畳に突っ伏した。

正縁さん、とあや女が膝行《しっこう》して、お縁に取り縋る。

「本当にそれで良いのですか？　私は、兄上と正縁さんとで夫婦の契りを交わすものだとばかり……。それが一番だと信じているのですよ」

あや女さま、とお縁は、膝に添えられたあや女の手に、そっと己の掌を重ねた。

「男と女として契るのではなく、仏の弟子として、ともに生きたいと願っています。限りある命を、せっかく授かったこの命を、そのようにして全うしたいのです」

ひとはこの世に生を受け、そしていつの日か必ず滅する。命の輝きには目を奪われるけれど、それを遠くで愛《め》でつつ、亡くなられたひとと向き合っていたい。

大切なひとの死の衝撃を和らげるのは、もう何も思い残すことはない、という新仏の安らかな死に顔に他ならない。亡きひとの未練や苦しみを蓮の花に変えて浄土へ見送り、遺されたひとの悔いや悲しみを和らげたい。自身は三昧聖として、今後も湯灌場に立ち続ける——お縁の双眸に、強い意思が宿る。
三昧聖の目を暫くじっと見つめたあと、あや女は黙ってその手を外した。

寺社奉行から何の沙汰もないまま、年が明け、文化五年（一八〇八年）の立春を迎えた。

昨年の大事故の悲しみから、江戸の街は未だ立ち直ってはいない。それでも、節分に豆を撒《ま》き、立春の声を聞けば、悲嘆の薄紙がほんの僅かに剝がれる思いがする。

その日、正真は寺社奉行から呼び出しを受けた。大検使が馬で青泉寺に乗り付けて以来、ふた月が経っていたが、漸く告げられた裁きは、実に意外なものだった。

荼毘を夜間に限る他は、一切のお咎め無し——俄《にわ》かには信じ難い沙汰を、青泉寺に戻った住職の口から聞かされて、毛坊主たちは互いに顔を見合わせ、眉根を寄せる。

お縁もまた、正念と眼差しを交わしたあと、じっと考え込んだ。

「どうも怪しい……。何か裏があるんじゃねぇんですか、正真さま」

物怖《ものお》じしない三太が疑問を呈すれば、正真は嚙み締める口調で答える。

「もと老中の職にあった大名の口利き、とのことじゃ。寺社奉行に対し、『三昧聖の居る青泉寺を潰すこと相ならぬ』と語気を強め、庇ってくださったと聞く」

あ、とお縁の口から小さな声が洩れる。

脳裡《のうり》に、ふみの夫の姿が浮かんだ。妻が浄土へ持っていきたい、と願った柘植の櫛にそっと触れていた、その姿が。

「もしや、この間、お縁坊に湯灌を頼んできた……」

お縁と、それに正念の様子から事情を察したのだろう、市次がぼそりと呟く。三太と仁平が、ああ、と揃って腰を浮かせた。真っ先に三太が本堂を飛び出し、寺門へと転がっていく。三太に続けとばかり、仁平と市次も閉ざされた門の表へと向かう。

じきに、寺門正面に組まれた青竹の囲いを壊しているのであろう、ばんばん、と大きな音が本堂まで響いてきた。

正真と正念、そしてお縁が本堂から見守る中、ふた月の間、閉ざされていた青泉寺の門が開け放たれた。麗《うら》らかな春の陽射しが寺門の幅一杯に差し込んでくる。

三太が青竹を手に、喜びに身を弾ませた。市次は曲げた肘《ひじ》で顔を覆い、仁平は門から本堂へと手を合わせている。

その様子を眺める正真の眼に、微かに光るものがあった。正念もお縁も黙って師の横顔を見つめている。短いようで、やはり長く重かった試練の日々を、本堂の三人はそれぞれに思い返していた。

青泉寺の寺門が開いた、との噂は瞬く間に広がり、翌日は弔いの相談を兼ねて様子を見に訪れる者が絶えなかった。本堂では正真らがこれに対応し、お縁は市次らと庫裏で茶を振る舞うなど忙しく働いていた。

「正縁、お師匠さまがお呼びだよ」

陽が西に傾き始めた頃、正念がお縁を呼び、本堂へ顔を出すように命じた。

そろそろ訪問客も途切れる頃だった。正念に伴われて、お縁は、本堂に繋がる廊下を軽やかに渡った。

広い本堂にはすでに他の人影はなく、正真が本尊に向かって座している。隅に控えようとするお縁に、正念は、お師匠さまの傍に、と優しく促した。躊躇いながらも、師の近くに座り、正面の本尊に一礼する。

お縁の様子をじっと眺めて、正真は厳かに尋ねた。

「正縁に問う。三昧聖として生涯を終えることに迷いはないか」

合掌を解いて師の方に向き直ると、お縁は、はい、と心を込めて答えた。

師は弟子に、重ねて問い質《ただ》す。

「尼僧ではなく、三昧聖のままで良いのか」

墓寺である青泉寺では、得度は叶わない。仮に、しかるべき尼寺にて得度し僧籍を得て尼僧となれば、青泉寺と関わることも、その湯灌場に立つことも許されなくなる。だが、お縁の願いは、青泉寺の湯灌場に立ち続けることであった。

「はい。お許し頂けるならば、三昧聖のまま、青泉寺の湯灌場に身を置きたいと存じます。僧籍を得ずとも、決して精進を厭わぬ心づもりでおります」

「青泉寺は墓寺である上に、三昧聖は蔑まれることも多い。時には同じ仏の道を行く者からさえ、疎んじられ、貶《おとし》められることもあるのだぞ」

正真の憂慮に、お縁はただ微笑みを以《もっ》て応えた。

ふみの亡骸を湯灌した時に見た、美しい蓮の一群がお縁の心に今も在る。緑の葉は泥に塗《まみ》れることなく水を珠《たま》にして載せ、また、汚れを知らぬ花は美しい薄紅の花弁を広げる。清浄の証の蓮花は、最早、誰にも侵すことはできない。侮蔑の言葉も蔑みも、お縁を悩ませることは決してないのだ。

お縁の心を理解したのだろう、師は深く頷いた。

「正念、こちらへ」

入口近くに控えていた正念を傍らへ呼ぶと、正真は告げる。

「聞いての通りだ、正念。正縁には一点の迷いもない。機は熟したのだ」

師の言葉に、正念は畳に両手をついて、御心のままに、とよく通る声で応えた。

満足気に弟子の返答を聞くと、正真は視線をお縁に戻した。

「正縁、ここを出て、自身の庵《いおり》を結ぶことを考えてはどうか」

自身の庵、とお縁は口の中で繰り返し、緊張のあまり顔を強張らせる。

幼い頃からこの寺で、御仏の御加護と皆の情に包まれて成長してきた。けれども、年が明けて、お縁は二十四歳になっていた。このままここで暮らし続けるのは憚《はばか》られる。それを思えば、師の提言はもっともだった。さりとて、唐突に庵を結べ、と言われても、どのような手立てを講じれば良いのか、判断が付かなかった。

唇を引き結び、一心に考え込むお縁に、正真の注ぐ眼差しは温かい。

「戸塚村に、今は住む者もない廃屋がある。そこに充分に手を入れ、庵として寄進したい、との申し出があった」

戸塚村ならば、但馬橋を渡って直《す》ぐゆえ、青泉寺からも近い。そこにお縁の庵を結び、悩める女人が訪れたなら耳を傾け、己の信心を深める糧とせよ、そしてそこから青泉寺に通うように、と正真は穏やかに説いた。

ですが、とお縁は躊躇いを隠せない。

ありがたい申し出ではあるが、青泉寺に寄進されたものならば、寄進主の気持ちに添うよう、何か別の形で寺のために活《い》かすべきではないか、との考えが頭を離れない。

正縁、と今度は正念が、師の脇から柔らかに呼んだ。

「庵の寄進主は、桜花堂のお香さんなのだよ」

驚きのあまり、お縁は音を立てて畳に両手をつき、辛うじて身体を支えた。

正念は膝行し、優しい声で続ける。

「もしも正縁の許しが得られれば、いずれその庵に身を寄せ、矢萩源九郎殿と桜花堂佐平殿の冥福を祈りたい――お香さんはそう仰っておられたのだよ。そして、その志を受けて、お師匠さまはお香さんに『正香《しょうこう》』という名を与えられたのだ」

「お師匠さま」

お縁は堪らず、正真を呼んだ。唇は戦慄《わなな》き、両の瞳から涙が溢れて頬を伝う。

正真はふっと目もとを緩め、ゆるゆると立ち上がった。

「正香と正縁、ともに仏の弟子じゃ。これからは同じ仏道を行くものとして、ともに暮らし、精進を重ねなされ」

お艶という名を捨てて十五年、長かったのう、正縁、と師は結んだ。

耐え切れず、お縁は掌で顔を覆った。

正念はそんなお縁に声をかけようとして留まり、慈愛に満ちた笑みを残し、師のあとを追って本堂を出た。

ひとり本堂に残ったお縁は、涙を払うと、本尊に手を合わせた。どれほどの間、そうしていたのか、ふと何かに呼ばれた気がして合掌を解き、庭へと目を向ける。夕映えを受けて、辺りは金色《こんじき》に輝き始めていた。常緑の松の姿がひときわ美しい。八年前、同じくここに座し、お香とふたりして松の枝に積もった雪を眺めていたことを思い出す。

――母と名乗る資格も、許しを請《こ》う資格もないのは、一切承知。それでも……

深々と頭を下げ続けていた、母の姿が蘇る。

あの日、雪に埋もれていた青泉寺の庭に、今は、柔らかな土壌が無数の小さな草花の芽を育んでいる。それらはやがて蕾を抱き、花を咲かせるだろう。絶えたはずの命、失われた命も、季節の巡りとともに新しい命となって、この庭に帰ってくる。静寂の中に、御仏の慈悲が満ちていた。

そう悟った時、お縁の双眸にまた、新たな涙が溢れた。

（了）

『蓮花の契り　出世花』あとがき

本書をお手に取ってくださって、ありがとうございます。前職の漫画原作者から、『出世花』で時代小説の世界へ移って、今年（平成二十七年）で丁度七年になります。その間、「『出世花』の続編を読ませてください」とのリクエストを数多くお寄せ頂いておりました。また、私自身も、「お縁始め登場人物たちを、あのままにしておいて良いのか」との思いが強く、続きを書くことを切に願っておりました。今回、こうして完結巻をお届けできますことが大変ありがたく、感謝の気持ちで一杯です。

サイン会で読者のかたと直接お目にかかる時、あるいは、編集部宛てに頂戴するお手紙の中で、そのひとの抱える死別の悲しみに触れることが度々あります。そしてその悲しみは、多くの場合、「ああすれば良かった」「何故、出来なかったのか」といった悔いを伴います。そうした悲しみに触れる度、私自身も大切なひとを喪った当時のことを思い返し、気持ちを重ねていました。

この世に生を受けた者は、いずれ必ず死を迎えます。自分の命がある限りは、先に死にゆく誰かを見送らねばならず、大切なひとの数だけその苦しいまでの喪失感を味わうことになります。そうだとすれば、死別の悲しみや悔いからは生涯、逃れられないようにも思われます。

けれども、ゆるやかな時の経過とともに、悲しみは薄紙を剝がすように少しずつ削がれていき、やがて、懐かしさへと姿を変えてくれます。気が付けば、涙ではなく微笑みで思い出を語る日も巡ってきます。限りある命だからこそ、先に旅立ったひとに心配をかけないよう、毎日を丁寧に生きていこう、と思える日が訪れます。

無論、ひとそれぞれに抱える事情は違いますし、一括りにすることはできません。慟哭や悔いから解放されないまま長い年月を過ごさざるを得ない場合もあります。それでも、いつかその悲しみの癒える日が巡ってくることを心から祈っています。

あなたの悲しみに、この物語が届きますように。

祈りとともに

高田　郁　拝

本書は時代小説文庫（ハルキ文庫）の書き下ろし作品です。

時代小説文庫
た 19-14

蓮《れん》花《か》の契《ちぎ》り 出世花《しゅっせばな》

著者 髙田《たかだ》 郁《かおる》

2015年6月18日第一刷発行

発行者 角川春樹

発行所 株式会社 角川春樹事務所
〒102-0074 東京都千代田区九段南2-1-30 イタリア文化会館

電話 03(3263)5247[編集] 03(3263)5881[営業]

印刷・製本 中央精版印刷株式会社

フォーマット・デザイン＆シンボルマーク 芦澤泰偉

ISBN978-4-7584-3910-7 C0193

http://www.kadokawaharuki.co.jp/[営業]
fanmail@kadokawaharuki.co.jp[編集] ご意見・ご感想をお寄せください。

〈 高田 郁の本 〉

出世花 新版

不義密通の大罪を犯し、男と出奔した妻を討つため、矢萩源九郎は幼いお艶《えん》を連れて旅に出た。六年後、飢え凌ぎに毒草を食べてしまい、江戸近郊の下落合の青泉寺で行き倒れたふたり。源九郎は落命するも、一命をとりとめたお艶は、青泉寺の住職から「縁《えん》」という名をもらい、新たな人生を歩むことに——。青泉寺は死者の弔いを専門にする「墓寺」であった。真摯に死者を弔う人びとの姿に心打たれたお縁は、自らも湯灌場を手伝うようになる。悲境な運命を背負いながらも、真っ直ぐに自らの道を進む「縁」の成長を描いた、著者渾身のデビュー作。

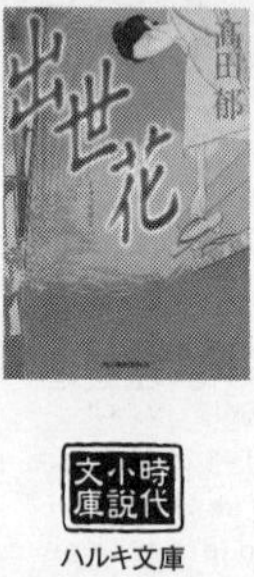

〈 高田 郁の本 〉

あい　永遠に在り

上総の貧しい農村に生まれたあいは、糸紡ぎの上手な愛らしい少女だった。十八歳になったあいは、運命の糸に導かれるようにして、ひとりの男と結ばれる。男の名は、関寛斎《せきかんさい》。苦労の末に医師となった寛斎は、戊辰戦争で多くの命を救い、栄達を約束される。しかし、彼は立身出世には目もくれず、患者の為に医療の堤となって生きたいと願う。あいはそんな夫を誰よりもよく理解し、寄り添い、支え抜く。やがて二人は一大決心のもと北海道開拓の道へと踏み出すが……。幕末から明治へと激動の時代を生きた夫婦の生涯を通じて、愛すること、生きることの意味を問う感動の物語。

時代小説文庫
ハルキ文庫